María Teresa Arango de Narváez · Eloísa Infante de Ospina · María Elena López de Bernal

Juegos de estimulación temprana para niños

Actividades para estimular
el desarrollo entre 2 a 7 años

Ediciones Gamma

Juegos de estimulación temprana para niños

Dirección editorial   Clara Isabel Cardona M.
Diagramación   María Fernanada Peña Ch.

Ilustración   Stella Cardozo

Correción de textos   César Tulio Puerta Torres

Ediciones Gamma S.A.
Calle 85 No. 18-32 P. 5
PBX: 593 08 77 Exts: 521-553
Fax 593 08 67
Bogotá .D.C., Colombia
Primera Edición, septiembre del 1994
Segunda Edición, enero de 1996
Tercera Edición, septiembre de 1997
Cuarta Edición, octubre de 1999
Quinta Edición, mayo de 2001
Sexta Edición, marzo de 2003
Séptima Edición, julio de 2005
Décima Edición, noviembre de 2010
ISBN: 958-9308-08-06-6

Impreso por: D´vinni S.A.
Quien sólo actúa como impresor

Impreso en Colombia   Printed in Colombia

El presente trabajo representa un esfuerzo por rescatar la verdadera dimensión de una de las actividades más importantes en la vida del niño: el juego.

Nuestra intención es que éste se comprenda, además de una actividad que favorece el desarrollo afectivo, social, físico y emocional del niño, como una posibilidad de encuentro y descubrimiento de ese maravilloso univérso que constituye la vida del niño, a través de un camino sencillo, de fácil acceso y pleno disfrute.

El juego constituye una situación de cercanía y proximidad que permite a los padres afianzar relaciones afectivas y compartir desinteresada y gozosamente con los hijos, generando condiciones de mutuo crecimiento personal y social.

A los padres: "Sólo disfrútenlo".

Las autoras

Contenido

· ·

Contenido

Introducción

El juego es una posibilidad de hacer que, en forma espontánea, los niños sean inmensamente creadores a partir de sus motivos interiores. Es un escenario que ellos construyen para su autoexpresión por medio de la imaginación, la especulación y la indagación.

Comprende todas las manifestaciones de la vida del niño, cualquiera que sea el ambiente en el que haya crecido. No tiene un fin distinto de obtener el placer mismo de jugar; es una dimensión dominante en la vida infantil, una actividad espontánea y natural sin aprendizaje previo, que se manifiesta como una acción vital. Jugando llega a entender que la cultura tiene también su fin en sí misma y que existen valores ajenos a toda utilidad práctica.

Sin embargo, desde el punto de vista pedagógico, el juego es un formador porque concreta las enseñanzas que ha asimilado sin darse cuenta, desarrolla lo adquirido, despierta posibilidades intelectuales o físicas y aumenta sus conocimientos.

Así mismo permite un mayor despertar de su imaginación y un mejor desarrollo de su creatividad; lo incita a descubrir y utilizar individualmente la inteligencia, la experiencia, el ambiente, su propio cuerpo y su personalidad.

El juego desempeña una función social porque satisface la necesidad de realizar los ideales de la convivencia humana. Es realmente una preparación para la vida, ya que es un medio fundamental para que conozca de una manera dinámica las acciones de las personas y las relaciones sociales entre ellas. Mediante los juegos aprende a conocer la realidad externa, las personas y el ambiente; el juego da la posibilidad de desempeñar roles que van a ser proyecciones en la vida futura; jugar a la "casita, la mamá, al doctor, a los exploradores, al maestro, etc.", son ensayos para acciones posteriores.

Es importante comprender que el juego es un proceso tomado muy en serio por parte del niño, ya que para él tiene el mismo significado que para el adulto sus actividades laborales. Le consume gran parte de su energía, a diferencia de este último que lo hace por descanso y diversión. Aunque sabe perfectamente que todo es ficticio, vive y goza emocionalmente en ese mundo ilusorio que ha creado su fantasía.

En los juegos se ponen de manifiesto principalmente la imaginación y la independencia. Respecto de la primera, podemos afirmar que la capacidad imaginativa del niño es ilimitada, mentalmente puede representar cualquier cosa, convertirse en animal, persona o cosa, ser creador de mundos que nunca han existido, vivir libre de órdenes temporales y espaciales.

Igualmente el juego favorece el despliegue de la independencia, ya que puede iniciar, dirigir, reír, y hablar sin que los adultos le acompañen; de otro lado, ofrece libertad de responsabilidades y le permite mostrar su individualidad en todas las direcciones; desarrollar confianza en sí mismo, autocontrol y capacidad de cooperación con los demás.

Otra faceta de gran importancia es la influencia emocional del juego porque permite expresar sentimientos, conflictos, descargar sus emociones, dar escape a la agresividad, el temor y la tensión. Como actividad creadora promueve la estabilidad emocional, ofreciéndole una profunda confianza y seguridad; igualmente llena su necesidad de protección y de dominio del mundo que le rodea.

A través de él aprende a conocerse a sí mismo, a los demás y al mundo de las cosas que le rodean, experimentar su entorno e igualmente a relacionarse con éste. Lo pone en contacto con los valores culturales y morales, así como a poner a prueba todas sus posibilidades de modificar ese mundo que le rodea en cambio de aceptarlo todo tal cual lo encuentra.

En fin, el juego constituye una dimensión vital en el desarrollo del niño que le permite y facilita la expresión y crecimiento de áreas del desarrollo como la cognoscitiva, la socioafectiva, del lenguaje, y la física, que trataremos a lo largo del libro.

. . . .

Prólogo

Este libro ha sido creado para los padres con objeto de facilitar el encuentro lúdico (de juego) con el niño, al permitirle vivir plenamente su cuerpo, favorecer la expresión de sus sentimientos, posibilitar el despliegue de toda su capacidad y potencialidad y ayudarle a construir positivamente su personalidad.

Los contenidos que se presentan han sido escogidos teniendo en cuenta, por una parte, una visión integral del desarrollo del niño, desde la cual este constituye una unidad en la que cada una de sus partes funciona en estrecha interdependencia y, de otro lado, una concepción amplia del juego como vehículo natural de interacción y desarrollo.

Por lo tanto, la división por áreas (cognoscitiva, del lenguaje, motriz, de la creatividad, y sensorial) obedece más que todo a motivos relacionados con lograr una mayor comprensión del complejo desarrollo del niño y a criterios funcionales de manejo mismo del texto.

Los juegos escogidos constituyen una cuidadosa recopilación dada desde diversas fuentes: de los propios niños, quienes ponen en práctica, crean y transforman de manera maravillosa las diferentes actividades de juego; de las madres, que nos han transmitido algunos de los que enseñan y realizan con más agrado en la vida cotidiana con sus hijos; los que han resultado de nuestra práctica profesional, así como aquellos sugeridos por diversos textos.

De la misma manera, el libro abarca la etapa comprendida entre el primero y séptimo años de vida del niño, por considerar esta de gran despliegue de la capacidad lúdica, sin dejar de reconocer la importancia de otras, pero básicamente porque nuestra experiencia de campo e investigativa se sitúa en este fascinante momento.

Como igualmente los intereses del niño en el juego van cambiando con el tiempo, proponemos actividades diferentes según la edad, que se señalarán al comienzo de cada juego de la siguiente manera: 1+, 2+, 3+, 4+, 5+, 6+, 7+. El signo + que aparece al lado derecho del número indica que el juego se recomienda para esa edad como límite inferior, pero sin fijar límite superior, porque asumimos que puede efectuarse de allí en adelante hasta que el niño lo desee. Lo que buscamos sugerir es que a partir de esa edad lo disfrutará y aprovechará en su totalidad, pero sin que esto signifique rigurosamente que a cada edad correspondan sólo ciertos juegos.

El presente libro es una guía de fácil consulta y aplicación con el fin de que se entienda rápidamente la dinámica de los juegos y se destine mayor cantidad de tiempo a realizar la actividad misma con el niño.

El texto se encuentra dividido de la siguiente manera: en la primera parte aparece una guía para los padres: *La actitud de los padres frente al juego*, que ofrece algunas pautas acerca de cómo participar efectivamente en el juego con el niño.

Seguidamente una descripción sencilla, que considera diversos aspectos relacionados con el juego en cada una de las edades (uno a siete años), que hemos denominado *El niño y el juego a través de los años*, cuyo propósito es destacar la importancia que tiene éste en la expresión y desarrollo de las diferentes capacidades del niño en dicha etapa y dar una orientación general que favorezca las posibilidades del juego en dicho período.

La segunda parte, y cuerpo del libro, es la que tiene que ver con los juegos propiamente dichos, los que han sido divididos por áreas de desarrollo, de las cuales haremos una breve descripción así:

Cognoscitiva (sobre el conocimiento). Proceso por medio del cual evoluciona y se expresa el área intelectual y del conocimiento.

Socioafectiva (los encantos de la interacción). Desarrollo emocional que tiene lugar en las interacciones que el niño establece con el medio que le rodea.

Motriz (desplazarse libremente por el mundo). Está relacionada con el desarrollo del conjunto de funciones que permiten los movimientos.

Lenguaje (aprendiendo el lenguaje). Lugar del desarrollo de la facultad humana de comunicarse por medio de signos verbales.

Creatividad (formando un ser creativo). Relacionada con los procesos para concebir ideas nuevas o ver las relaciones existentes entre las cosas, generando toda una actitud vital, y

La sensibilidad (percibiendo el mundo). Se refiere a los sentidos a través de los cuales percibimos e interactuamos con el mundo que nos rodea.

Cada una de ellas contiene una introducción que muestra su vinculación con el juego; aparece luego el nombre del juego; la edad para la cual se recomienda; unas sugerencias para variar el juego principal, y finalmente la noción o destreza que estimula tal actividad.

La mayoría de los juegos no sólo estimulan el área sugerida sino también otras áreas de igual importancia.

Aparece después la sección *Para tener en cuenta*, en la cual damos una serie de recomendaciones, tales como: los problemas típicos al jugar con el agua, cómo minimizar la suciedad al jugar con témperas, cómo se comportan cuando juegan solos, etc.

Al finalizar el libro presentamos algunas ideas para transformar y elaborar nuestros propios materiales.

. . . .

La actitud de los padres
frente al juego

La buena disposición de los adultos frente al juego, basada en el justo aprecio de su valor, es una condición indispensable para que los niños obtengan el máximo beneficio del juego.

Interesarse en el juego significa que se comprenda la importancia de tal actividad, los niños que juegan requieren comprensión; por una parte entender que esta es una actividad que no necesariamente produce resultados inmediatos, pero que no por esto es inútil ni el tiempo dedicado a ella perdido. El juego, como mencionábamos al comienzo del libro, no tiene una connotación funcional, lo que sí sucede con el trabajo de los adultos. El niño lo realiza por placer, por diversión, porque es su manera, una bella forma de expresión y contacto con el mundo.

El niño desea aprender con su propio hacer, y para esto muchas veces escoge el camino más largo y más complicado para lograr algo; es comprensible que el adulto, acostumbrado a calcular cada movimiento y a contar cada minuto, caiga muchas veces en la tentación de mostrar al niño el más corto y el más práctico. Pero el niño la mayoría de las veces hace caso omiso de ello y busca realizarlo a través de su propia experiencia, en la que derrocha esfuerzo, material y tiempo, pero que constituyen valiosas prácticas de aprendizaje.

Por lo tanto se debe intervenir en el juego del niño con prudencia, confiando en que muchas cosas que para los adultos no poseen sentido, para el niño pueden tener incalculable valor. En lo posible hay que tratar de no llamarlo a cada rato, ni hacerle cambiar el lugar de juego, o interrumpirlo repentinamente. Es mejor avisarle con tiempo que el juego está a punto de terminar y que es conveniente continuarlo después. Igualmente es aconsejable que el niño se acostumbre a una división regular del día, lo que le permite saber, por experiencia, que tendrá tiempo para reanudar el juego. Cuando sea un poco mayor podrá hasta planificarlo de antemano, ya que los juegos esporádicos del niño muy pequeño se van convirtiendo cada vez más en juegos de mayor duración, los que algunas veces se prolongan por días enteros, hasta que pierde el interés en él.

Así mismo es necesario tener en cuenta que los niños sólo inician un juego si algo ha despertado su interés, se aburren si ocupan su tiempo en algo que conocen a fondo, con lo cual ya nada nuevo pueden experimentar. Pero esto no implica que sólo las cosas novedosas lo incitan a jugar. Con la casita de madera que ya ha usado, o la muñeca vieja a la que se ha rasgado el vestido, puede inventar juegos nuevos.

En este sentido los padres deben ser compañeros de juego, expresar su deseo de jugar cuando decida acompañar al niño en una actividad lúdica; inculcar a los niños un placer más integral que el de la simple contemplación e infundirle el coraje necesario para vencer las dificultades, educar la imaginación y el impulso intelectual. Los adultos pueden representarle una inmensa colaboración en lo que se refiere al desarrollo del lenguaje y a la posibilidad de hacerle comprender que los juegos tienen reglas, ayudarle a distinguir entre lo real y lo que es producto de su imaginación. Los adultos tienden a exagerar la importancia que para el niño posee el material de juego ya elaborado. Para los niños pequeños, por ejemplo, esto no tiene gran incidencia. Debe considerarse más bien ofrecer al niño un área de juego que le dé la oportunidad de aprender y estimularlo a enfrentarse con lo ofrecido. Es igualmente importante que los niños tengan tiempos para jugar solos y tiempos para jugar con otros niños; los primeros fortalecen su creatividad, imaginación e independencia; los segundos, la responsabilidad, la cooperación y el intercambio; el grado de estima, estímulo, colaboración y disciplina es fundamental para la formación de su personalidad. Como padres, reiteramos, es necesario entender que el niño utiliza el juego como un mecanismo para canalizar sus emociones, para lo cual es preciso aprender a percibir estas manifestaciones permitiendo que el niño las haga libremente. Por ejemplo, si el niño ha tenido una pérdida de un ser querido, jugar a que "a quién lo robaron, o que está en el hospital", si tiene un hermanito nuevo, probablemente sienta celos y juegue a "un niño que no le gustaba tener hermanos". Así mismo a los niños les agrada disfrutar de la sensación de poder y dominio, y a través del juego ellos pueden aprender a manejar adecuadamente este impulso. En conclusión, una actitud espontánea, comprensiva, abierta, estimula inmensamente la capacidad del niño para jugar.

El niño y el juego a través de los años

Desarrollo evolutivo

0 a 2 años

El juego comienza desde que el niño nace, ya que sus reflejos tienen un sentido funcional. Vemos cómo juega en un principio con su propio cuerpo, junta las manos, se agarra de los pies, etc., apareciendo nuevas formas de juego a medida que el niño empieza a actuar dentro de su mundo y a enfrentarse a él, introduciendo en sus ejercicios todos los objetos posibles y encontrando satisfacción y placer al poder interactuar con ellos.

En estos primeros meses los bebés sienten curiosidad por los otros bebés y los examinan cuidadosamente, pero sin llegar a entablar un verdadero contacto social entre sí.

Entre los seis y ocho meses el niño tratará de incluir en sus juegos a todas las personas presentes, su juego se torna experimental y funcional, pero aún no es capaz de jugar desempeñando papeles o creando normas nuevas. En esta fase los niños suelen demostrar afecto hacia los otros niños.

El juego forma parte importante de la vida de un niño entre el noveno y el duodécimo mes, ya que esta es esencialmente una etapa de exploración. La noción del peligro para él es inexistente, por lo tanto será necesario brindarle todo el espacio y los elementos para que interactúe no sólo con los objetos sino con las demás personas que lo rodean. Sus juguetes favoritos son aquellos que le permiten llenar y desocupar.

Al comenzar a erguirse el niño encontrará variadas formas de realizar sus juegos, ya no dependerá de la ayuda de un adulto para hacer aquello que se ha propuesto.

En la etapa que abarca de los doce a los 24 meses, el niño adquiere interés por los materiales que manipula y que le sirven a la vez para construir, lo que le permite desarrollar inmensamente su capacidad creadora.

Realizará sus primeros trazos, los cuales no son legibles; no utiliza los dedos ni la muñeca para controlar lo que está dibujando, ni tampoco el control visual, sólo garabatea.

2 años

Aparecen aquí los juegos de imitación en los que el niño imita con su acción, comportamientos y actitudes, dándoles con su imaginación una nueva interpretación.

Mostrar, compartir, dar, recoger y apropiarse de los objetos son la base de sus interacciones sociales. Aprenden a retener y recrear la imagen mediante dibujos. Le dará de comer a la muñeca, después la pondrá a dormir y la levantará para arreglarla, de forma muy realista. Al encontrarse el niño reunido con otros niños necesitará que un adulto conocido se halle cerca de él, para así ser atraído por sus compañeros; es capaz de jugar por un corto período de tiempo en grupo. Su bajo nivel de interacción se debe más que todo al interés que para ellos aún tienen los juguetes. Por ello el arrebatárselos y su tendencia a llorar cuando se encuentre en situaciones grupales, ya que un juguete en manos de un compañero es más atrayente que un juguete en el suelo.

Los padres serán las personas con las que un niño de esta edad podrá intercambiar juguetes sin llanto.

Por eso el niño de dos años tiene que aprender a cómo jugar con los demás niños, ya que su intercambio hasta ahora ha sido sólo con sus padres, quienes son bien cooperativos.

A esta edad diferencia y ajusta adecuadamente la acción al objeto. Ya no se meterá todo a la boca, ahora sólo cogerá la cuchara para llevársela a la boca. Combina objetos que concuerdan entre sí, como el plato con el tenedor. El triciclo significa que saldrá a dar una vuelta en él, lo que hará que sus demostraciones de alegría sean más notorias.

Se aplica a sí mismo las pautas de acción, al coger la cartera se despedirá. Inventa objetos y sustancias ausentes, con su vajilla lo verás trasvasando agua o té inexistentes de un envase a otro. Transforma los objetos para usarlos de acuerdo con sus necesidades, si no encuentra una cuchara para revolver el jugo, cualquier lápiz le servirá de cuchara. Estos avances significan el comienzo de la representación simbólica y un requisito para el desarrollo del lenguaje y del pensamiento abstracto. Los juguetes sencillos le facilitan la proyección de sus fantasías. No son muchos los que necesita para jugar; exagerar la cantidad podría confundirlo. Tampoco precisará de grandes espacios, pero sí sentirse dueño de su espacio. Igualmente requiere saber que algunas cosas pueden reponerse, es mejor darle algo que ha sido arreglado que cambiárselo por otro nuevo.

En esta etapa comienza el garabateo; en un principio sus trazos son desorganizados y al azar, pero a medida que se va desarrollando los va organizando y controlando.

Al avanzar en esta etapa logra ya poner algo de control visual sobre sus dibujos.

3 a 4 años

Hacia los tres años pasa al juego cooperativo con conversación, ya que su lenguaje hablado se encuentra más avanzado, lo que le permite discutir y atribuir los papeles necesarios para una actividad en común.

El juego social con movimiento se da a esta edad y en algunos casos desde antes, ya que el niño puede interactuar siguiendo instrucciones o imitando el movimiento de otros.

Desde los tres años necesita ver cierta limpieza y orden entre sus juguetes, su habitación, su ropero, etcétera. Atribuye a los objetos capacidades de acción deliberadas: hará que la muñeca tome de la taza, para después lavarla; se observan así ciertos rasgos de independencia en su comportamiento, pues ya no es necesaria la presencia de un adulto para decidir sobre todas sus actuaciones.

La pasión de los varones son los carros, locomotoras, trenes, etc., pasión que es compartida mas no reforzada en las niñas.

Tiene más conciencia de su *yo*. Es espontáneo: su cuerpo expresa todo sin inhibiciones. Siente una gran necesidad de ser querido y alabado, ya que estas actitudes le refuerzan su autoimagen. Es la edad de la gracia, por eso sus juegos serán en ocasiones representaciones para ser visto y escuchado por los adultos.

También se presenta la crisis de los tres años: quiere ser independiente, terco y obstinado, haciendo lo que está prohibido para demostrar que es autónomo, es igualmente negativo hacia los adultos que le cuidan.

Reconoce tres o cuatro colores, dice su nombre, edad y sexo, pregunta mucho y diferencia las categorías de alto-bajo, arriba-abajo. También será capaz de comprender los pequeños dramas de sus libros de cuentos que tienen un inicio, una trama y un final.

Hacia fines del tercer año el niño aún se encuentra en la etapa del garabateo, logrando sí ya a esta edad dibujar objetos reconocibles, principalmente figuras que se asemejan al ser humano. Podrá copiar un círculo mas no un cuadrado, descubriendo ciertas relaciones entre lo que ha dibujado y algo en el ambiente. Igualmente el niño comenzará a dar nombres a sus garabatos, aumentando la cantidad de tiempo que le dedica al dibujo.

Mostrará preferencia por compartir sus juegos con un número determinado de niños, preferiblemente los más conocidos o con los que esté más acostumbrado a interactuar, no enfrentándose los unos con los otros. Los padres notarán cómo el tiempo que pasa jugando solo disminuye y que cada día mostrará más interés por compartir sus juegos con niños de su edad.

4 a 5 años

El juego a los cuatro años tiene un fin determinado, utiliza diferentes materiales para construir lo que desea específicamente. Dedicará algo del tiempo para estar solo y aprender a reconocer qué es lo real del juego y qué es lo imaginario. Las dramatizaciones son parte de su diversión diaria, se transforma en personajes y objetos imaginarios, siendo sus intereses poco duraderos, por ello cambia fácilmente de actividad, pasando de una a otra con rapidez.

Desde el cuarto año hasta los inicios del séptimo año, se dice que el niño pasa a la etapa pre-esquemática (en la que cualquier garabato que haya dibujado representa algo. Por ejemplo: tres líneas son para el niño una casa), logra sus primeros intentos de representación, dibujando muy esquemáticamente una figura humana y aquellos objetos con los que se encuentre más familiarizado en su medio.

Desarrolla la personalidad, sus respuestas emocionales y sus comportamientos se adaptan a su propio sexo, por eso encontramos que el juego en los varones será más brusco que el de las niñas. Los padres se convierten en su personaje principal de admiración y de identificación. Siente ansiedad por el futuro, temor a perder el afecto y a ser castigado, se presentan las preguntas sexuales y se hacen más evidentes las dificultades en el aprendizaje, en el lenguaje y en el temperamento. Todo lo anterior lo expresa mediante el juego, pues como ya conocemos, este es un medio para canalizar todos sus sentimientos.

El pintar es uno de sus juegos preferidos; dibuja muy primitivamente una figura humana, con las partes principales de su cuerpo; conoce el día de la semana; habla claramente; pregunta por el significado de las palabras; reconoce cuatro colores; desarrolla el sentido del tiempo y la capacidad para simbolizar experiencias y para enfrentarse a las ideas complejas. Protesta cuando se le exige realizar algo que no desea hacer. Siente la necesidad de expresar sus ideas en una gran variedad de formas: mediante el arte, el lenguaje, el juego dramático, la música y el movimiento. Es importante darle las oportunidades para recordar, planear y organizar el juego; hacerle contar y seleccionar los objetos y reconocer los colores, conversar con él y ganarse su confianza.

5 a 6 años

Hacia los cinco años es muy común que el niño cree un amigo imaginario de juego. Siendo esto más frecuente en los que son hijos únicos o sin amigos.

El niño comienza también a buscar nuevos amigos, intentando con el establecimiento de estas nuevas relaciones reafirmar su *yo*, advirtiendo que es capaz de entablar amistad de una forma muy rápida, pero a la vez deshacerla de la misma manera.

Tiene una actitud más realista. Es lógico en su actuar. Aprende a querer a las demás personas y a tener un mejor control sobre sí mismo.

Habla constantemente y pierde la característica infantil del lenguaje, pues ya tiene un mejor manejo de su vocabulario, al cual le ha añadido palabras más complejas. Distingue derecha-izquierda, ayer y mañana, y es capaz de copiar un triángulo, de montar y desmontar una linterna. Diferencia los sabores. No acepta la autoridad impuesta y realiza las órdenes con lentitud.

Teniendo en cuenta esto, es importante escuchar cuando habla, responder a todas sus preguntas, dejarlo tomar responsabilidades y ayudarlo a prevenir accidentes.

En esta edad inventa juegos con reglas arbitrarias, al mismo tiempo que desarrolla la capacidad de intercambio. Los juegos de representación son contundentes para la identificación con su propio sexo, logra que las representaciones que hace de sus padres a través del juego sean más realistas que en los años anteriores, así da cabida a una gama de personajes que antes no era capaz de introducir en el juego.

6 a 7 años

A esta edad el niño se encuentra en actividad permanente, tiende al juego espontáneo y los grupales adquieren gran importancia, ya que está en condiciones de asociarse y reconocer en sus amigos las semejanzas en sus gustos o en los mismos intereses.

En los juegos representativos asume el rol con un carácter más organizado y realista. Comienza a formar parte activa en el mundo exterior, mostrándose frecuentemente un poco más brusco y peleador si las cosas no le resultan como él pensó. Su capacidad imaginativa se acelera y comenzará aquí a coleccionar objetos que le ocuparán gran parte de su tiempo en organizar.

A los seis años será capaz de realizar mapas o planos de su habitación, del parque, de su casa, etc.

Como hemos observado es la etapa de la inquietud, convirtiendo su juego en algo complejo y más organizado, que requerirá de la compañía de otros niños y preferiblemente que en él se represente en forma fiel la realidad.

Al iniciar los siete años se encuentra dispuesto para adquirir las bases de la lectura, la escritura y el cálculo. Desarrolla un concepto definido de la forma, sus dibujos son los símbolos de los objetos que le rodean y dibuja repetidamente la misma figura humana, a un tiempo que es capaz de copiar un rombo.

. . . .

Capítulo I

Area del lenguaje

●●●

Aprendiendo el lenguaje
· ·

El juego y el lenguaje mantienen una estrecha relación entre sí porque ambos representan la realidad. En el niño compartir los objetos va ligado a la comunicación verbal; podemos decir que la posesión del objeto por parte de este se relaciona con la información de expresiones verbales en las cuales el niño utiliza el lenguaje para organizar el juego en sí; de esta manera se convierte en un medio más de conocimiento, en un sustituto de la experiencia directa y en un camino para comprender y ordenar mejor sus datos. Es la etapa en que el juego mismo se convierte en palabra, la cual es, a un mismo tiempo, la creadora de situaciones y de acciones, en las que el niño es el comentarista de sus propios comportamientos. Así, por ejemplo, vemos cómo el niño es capaz de jugar, y juntamente narrar lo que está sucediendo (tú eres el bebé, te voy a bañar, te portas bien, etc.).

Es en este período cuando se planteará las siguientes preguntas: *dónde*, *cuándo*, *por qué*, *cómo*, utilizándolas con cierta frecuencia e indicando con ello su capacidad para recibir nueva información respecto de todas aquellas situaciones que se le presenten.

Es importante tener presente que la facilidad de expresión en los niños no siempre significa que todo aquello que es expresado verbalmente está siendo comprendido por él, de allí la necesidad de que los niños sean escuchados con atención por sus padres y educadores para saber hasta qué punto su lenguaje hablado está acorde con la comprensión del mismo.

El lenguaje es una de las características que distingue al ser humano de los animales. El lenguaje infantil es un proceso estrechamente relacionado con el desarrollo total del niño, y su evolución, que nos parece simple, resulta ser más complicada y menos lógica de lo que estimamos. La siguiente es una síntesis de la manera como el niño con el transcurso de los años va alcanzando cada vez más una mayor complejidad en la evolución del mismo. En los meses iniciales de vida del niño se dice que se encuentra en la etapa del *prelenguaje*, ya que durante los primeros meses sólo se comunica con los adultos por medio de lo que se ha denominado *el primer grito*, el cual convierte en lenguaje, gracias a que los padres lo toman como un signo de las necesidades del bebé. Pasa luego al *balbuceo*, el cual puede aparecer desde el primer mes de vida y constituye respuestas a estímulos no del todo específicos, llegando a reproducir todos los sonidos imaginables; poco a poco va reduciendo todos estos sonidos, mientras la emisión de otros nuevos se torna cada vez más intencional.

Aproximadamente desde el primer año hasta el segundo año y medio se presenta en el infante lo que se ha llamado *el primer lenguaje*, en el cual el aporte de los padres es indispensable, ya que el niño en el lenguaje crea copiando, aunque la imitación a esta edad no sea una copia fiel (ya que él produce un desvío creador, eliminando algunas de las partes de la conversación o modificándolas ampliamente).

Es entonces a partir de los tres años cuando se habla de que el niño tiene en sí el *lenguaje*, se destaca aquí nuevamente el papel importante del adulto para ayudarle a salir de su *primer lenguaje*, una de las manifestaciones evidentes de evolución en el lenguaje es el cambio de actitudes que el niño tiene frente al lenguaje adulto, expresadas, por ejemplo, en el gusto por las historias que le relatan; la insistencia en su continuación o repetición.

Por ello el amor a la literatura es algo fundamental para el desarrollo integral del lenguaje. Para formar un buen lector existen principios que ayudan a edificar las bases para una adecuada comunicación: hablarle con claridad, con entonación (mímica de la voz); proporcionarle libros que le despierten la sensibilidad, que contengan una historia simbólica que estimule los sentimientos, favorezca la creatividad, y le inspire sentimientos como la compasión y la ternura; en fin, libros que se puedan abrir y empezar a leer por cualquier página, en los que uno pueda pasearse, cerrar, abrir, etc.

Entre los tres y cinco años y medio el niño debe dominar alrededor de 1.500 palabras, utilizando en muchos casos vocablos sin antes haber determinado claramente su sentido.

Es normal que el lenguaje del niño evolucione escalonadamente, encontrando que a períodos de adquisición intensa les suceden etapas de titubeos, de búsqueda y a veces inclusive de mutismo. Por esto es importante estimular directamente y en todas las etapas el lenguaje hablado, para que el niño se enfrente a estas dificultades de lenguaje con seguridad y logre superarlas con rapidez.

Es conveniente reconocer en el niño su individualidad en el aprendizaje del lenguaje; no existen reglas que determinen a qué edad deben los niños decir sus primeras palabras; pero sí se sabe con certeza que la riqueza en el vocabulario de un niño está influenciada por los estímulos familiares y ambientales que le rodean. Así mismo es importante aclarar que el lenguaje y el desarrollo cognoscitivo están estrechamente relacionados, y vemos entonces cómo el pensamiento se realiza en el lenguaje; así, cuanto más preciso sea el lenguaje, tanto más elevado será el nivel mental y tanto mejor la cognición y la actividad creadora en los niños.

. . . .

2 +

Correr hacia el árbol

Si hay algo que le gusta al niño en esta edad es correr. Este juego le da la oportunidad de hacerlo y mejorar a la vez sus habilidades de lenguaje.

En tu jardín o en un parque cercano a tu casa amarra una cinta grande y bien vistosa en dos o tres lugares: en un árbol, en la cerca y en una banca. Dile al niño: "Vamos a correr hacia el árbol", tómalo de la mano y corran hacia él. Corran a otros lugares que tengan cinta, diciendo cada vez hacia dónde van. Luego pídele al niño que vaya él solo al árbol, a la banca, etc. A él le encantará esto, especialmente si lo premias o alabas cuando logra llegar a su destino. Después que lo ha logrado, cambian las cintas a otros lugares.

● **Para variar el juego**

Lo puedes hacer cada vez más complejo, *Ve al árbol y luego a la banca.*

Esta actividad ayuda a la comprensión del lenguaje

2 +

Jugando a cantar

Cantémosle a nuestro cuerpo

Existen canciones especiales para estimular la actividad física, como por ejemplo: "Palmitas, palmitas, higos y castañitas...". A estas canciones tú les puedes añadir las variaciones que consideres pertinentes, como por ejemplo: "Mueve tus manitas, mueve tus pies, mueve tu cabeza, etc.".

● **Para variar el juego**
Cantando con ritmo

Entona canciones en las que el niño aprenda a llevar el ritmo, en un comienzo mediante las palmas, para luego hacer que también siga el ritmo con los pies.

Escuchemos canciones y cantémoslas a un mismo tiempo

Aprovecha la estadía en el carro y coloca casetes con canciones infantiles, y estimula al niño a entonarlas al mismo tiempo que se emiten.

Esta actividad estimula el desarrollo del lenguaje y el conocimiento del esquema corporal

2 +

Juguemos con frases completas

A medida que juegues, converses o respondas, a tu hijo se le ocurrirán nuevas ideas para ampliar su lenguaje. Respuestas con palabras aisladas o únicas (ejemplo, sí, no, ajá) pueden afectar el desarrollo del lenguaje del niño, mientras que si tus respuestas son amplias y ricas en contenido, lógicamente sin ahogarlo con palabras ni explicaciones, ampliará su capacidad de escucha y en segunda instancia, su vocabulario hablado. Cuando tu hijo diga "perro", tú puedes extender su frase de una sola palabra, diciendo: "El perro es negro", "Ese perro es de Pablo", "Qué perro tan grande". De esta forma le demostrarás además tu interés y respeto por sus primeros intentos para ser comprendido. Sin adiestrarlo en una pronunciación correcta, tú estás estableciendo un modelo al pronunciar cabalmente las palabras. Aun cuando tu hijo parezca disponer de un limitado repertorio de palabras, puedes estar segura de que, si le hablas, el niño las almacenará.

● **Para variar el juego**

Cuando estés mirando un cuento o una revista con el niño, y él reconozca un objeto llamándolo por su nombre, tú se lo complementarás con otras palabras.

Esta actividad estimula el desarrollo de capacidad de escucha y habilidad de lenguaje

2 +

Con imágenes aprendemos

Siéntate con el niño y muéstrale un libro que presente ilustraciones claras de niños en actividades familiares y cotidianas: vestirse, bañarse, comer y jugar.

Igualmente libros con animales y los sonidos que éstos hacen, tomos con objetos que se desplazan, como automóviles, camiones, buses, aviones, etc., le encantarán. Los libros con imágenes servirán en este momento para familiarizar al niño con las cosas del diario vivir.

Una imagen es un símbolo de algo real, del mismo modo que una palabra es también un símbolo. Aprender a leer símbolos es una habilidad primaria que amplía la utilización del lenguaje hablado y establece una predisposición para leer palabras.

Utiliza libros de cartón grueso o de plástico, ya que son resistentes al manoseo inherente a la "lectura" de un pequeño.

● **Para variar el juego**

Una manera de aumentar la diversión de tu hijo con el lenguaje es posible también mediante canciones. Las rimas infantiles, al igual que las canciones que implican una actividad física, aportan vocabulario, proporcionando un aprendizaje activo:

Arepitas de maíz tostado
para mi taita que está enojado.

Introduce tus propias variaciones referidas a varias partes del cuerpo: golpea con los pies, pégate en las rodillas, mueve la cabeza, dobla los brazos, etc.

Parte de la diversión de cantar y jugar procede de inventar nuevos usos para ideas viejas. Con el tiempo, tu hijo disfrutará inventando sus propias canciones y actividades, pero, por ahora, serás tú su modelo para desarrollar ideas.

Esta actividad estimula el repertorio de palabras

2 +

La cueva del oso

· ·

Disfruta con el niño este juego de dedos, realizando la historia con tu mano.

> *Aquí hay una cueva.*
> (Dobla tus dedos dentro de la palma de la mano).

Adentro está el oso.
(Mueve rápidamente tu pulgar y luego escóndelo debajo de los otros dedos).
¡Oh!, por favor, osito, ¿podrías salir?
(Golpea la cueva con el dedo índice de la otra mano).
¡Miren! Aquí viene a tomar aire fresco.
(Saca el dedo pulgar).

Repite el cuento moviendo los dedos según lo indicado. *(Figura No. 1)*.

● Para variar el juego

Puedes alargar el cuento e incluirle otros animales que serán representados con los dedos de la otra mano. Cuando estén más grandes, pídeles que ellos mismos armen su historia.

Esta actividad estimula la comprensión y la expresión del lenguaje

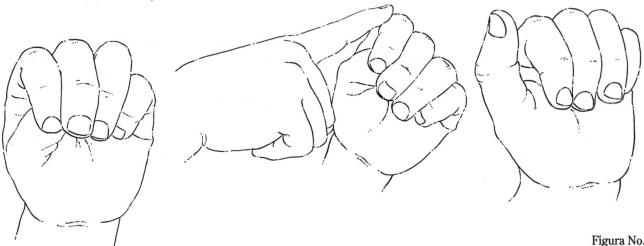

Figura No. 1

3 +

Mi primer juego de lectura

Recorta fotografías o dibujos de objetos familiares para el niño, de catálogos o revistas, y pégalos en cartulinas, formando un grupo pequeño de tarjetas.

Muéstrale el dibujo al niño y háblale sobre él; acerca de su color, forma, uso, etc.

Una vez haya entendido, introduce otras cartas.

La idea es que cada vez que tú le pidas una tarjeta, él la escogerá entre ellas.

● Para variar el juego

Puedes variar el juego volviéndolo cada vez más complejo: aumenta el número de tarjetas y dile, por ejemplo, *dame el vestido verde y el zapato rojo.*

Esta actividad estimula la comprensión del lenguaje

3 +

Amigos del alfabeto

Con el niño, elabora una tarjeta para cada letra del alfabeto. Las tarjetas deben ser grandes y las letras en mayúscula. Coloca cada una de ellas junto a un objeto de la casa que empiece por esa letra.

Ubícalas en sitios que no sean fácilmente visibles para que los niños jueguen a la vez a los *detectives*. Por ejemplo: la *A* junto a un *asiento*, la *C* en una esquina de la *cama*, la *M* al lado de una *mesa*.

Esta actividad la puedes llevar a cabo con varios niños, en tal caso, coloca a los niños en un círculo y cuéntales que hay letras del alfabeto por toda la casa, les mostrarás una o dos tarjetas como ejemplo de las que encontrarán. Saldrán en grupos de dos o tres, según el número total de niños que haya, una vez que las encuentren vuelven al círculo, tomas las tarjetas y les preguntarás a los demás cuál letra es esa y qué otras cosas comienzan por esa letra.

Si estás jugando con tu hijo únicamente, no lo hagas tan largo utilizando todas las letras del alfabeto.

● Para variar el juego

Puedes poner las letras en otros lugares como en el carro, el patio de la casa, la cocina, etc., y hacerlo con objetos específicos del lugar.

Esta actividad estimula el aumento del repertorio y la comprensión de palabras

4 +

Parlanchines

Se forman dos equipos iguales, que después se sientan en el mismo círculo. Dos jugadores (uno de cada equipo) se ubican en el interior de la rueda. A la señal de iniciación los dos elementos centrales comienzan a hablar sin interrupción. Charlan al mismo tiempo sobre cualquier tema sin que sea necesario decir cosas con sentido. Si ambos consiguen hablar durante treinta segundos en esa forma, tienen el derecho de elegir a sus sustitutos, ganando cada uno un punto para su equipo. Pero quien incumple la arenga antes de cumplidos los treinta segundos, va hacia la rueda y es el animador el que elige el sustituto.

●Para variar el juego

Los jugadores se sientan en sus lugares y eligen la canción que van a entonar. Luego de ver un objeto que se les muestra, puede ser una caja, un encendedor, etcétera, uno de los niños se separa del grupo mientras sus compañeros lo esconden. Para comenzar llama al niño que se sacó y pídele que encuentre el objeto, guiado únicamente por el volumen de voz de sus compañeros. Cuando el grupo canta bajito es señal de que se está lejos; si lo hace en tono más alto es porque se encuentra cerca de él.

Esta actividad estimula la discriminación auditiva y la expresión verbal

4 +

El agua

Cuando estés en una sala de espera o en un trayecto largo de viaje, podrás con tu hijo jugar a encontrar las utilidades de ciertos elementos de uso diario para el niño y sobre los cuales no conozca todos sus beneficios.

Toma el *agua* como uno de ellos y dile: juguemos a decirnos para qué sirve el agua, como por ejemplo, al decir *agua* tú dirás para bañarnos, yo contestaré para tomar, y así sucesivamente podrá cada uno de ustedes continuar diciendo sus utilidades: para hacer hielo, para regar las flores, para preparar los jugos, etcétera.

●Para variar el juego

Para modificar este juego podrás variar todos los elementos de uso cotidiano para el niño y aun aquellos que no sean tan comunes para él, para así, de esa manera, ir enseñándole al niño nuevos conceptos y vocabulario. Recuerda, se dice primero el elemento y luego cada uno de los participantes deberá mencionar una de las utilidades del mismo.

Esta actividad estimulará la adquisición de nuevo vocabulario y la agilidad mental en el niño

4 +

Hagamos un teléfono

Consigue dos vasos de cartón por niño, luego ayúdales a abrirles a ambos un hueco pequeño en el centro de la base y atraviesa por ellos una cuerda a la que le harán en cada punta un nudo.

Luego se parará un niño en cada punta, quedando tensa la cuerda, y podrán conversar de un lado a otro utilizando los vasos tanto de bocina como de auricular. *(Figura No. 2)*.

●Para variar el juego

Ponlos a jugar *adivina y descifra*, como el nombre lo indica, tendrán que adivinar y descifrar lo que su compañero les dice por el otro lado del teléfono.

Esta actividad estimula el lenguaje y la creatividad

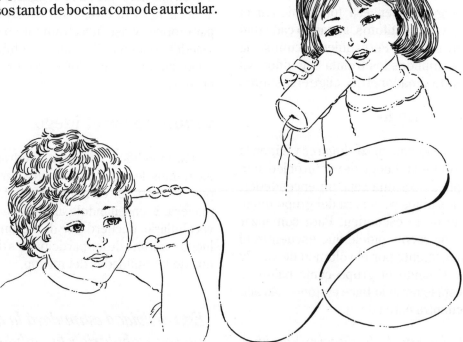

Figura No. 2

4 +

¿Cómo es?

Hay diferentes maneras de leer un libro a los niños, reúnelos alrededor tuyo y en lugar de relatar la historia de corrido, diles que vas a contarles ciertas escenas pero describiendo las cosas que ves, sin decir de qué se trata.

Había un ... tiene orejas y cola y le gustan los ratones... que le gustaba mucho el... (lo hacemos de leche)... y también jugaba mucho con los niños.

Invita a los niños a que cada uno intente leer de esta manera.

●Para variar el juego

Redacta una serie de listas con las características de diversos animales.

Propón al grupo de niños la primera lista. El primero que acierte gana. Si descubre a la primera afirmación gana diez puntos, nueve a la segunda, etc.

Ejemplo:
Animal con pelo.
Respira y vive fuera del agua.
Puedo tenerlo en el patio de la casa.

Esta actividad estimula el vocabulario y la comprensión verbal

4 +

El que lo diga, lo encuentre o lo lea primero

Cuando el niño esté aprendiendo a conocer las letras y los números y vayan de paseo en bicicleta o en automóvil, pídele que identifique en el camino los que conozca.

El hermano grande puede ayudarle en el juego dando el visto bueno. El niño debe empezar con la A y encontrarla en un aviso, en una señal del camino, en el nombre de un almacén o de una calle. Luego siguen con la B hasta terminar el alfabeto.

●Para variar el juego

El juego anterior lo puedes variar haciéndolo con números, hallando de cero a nueve en las placas de los automóviles. Y si ya sabe leer, que vaya encontrando palabras sencillas como lápiz, mesa, casa, etc.

Mente rápida:

Dirán lo primero que se les ocurra. Tú puedes empezar con una palabra cualquiera como *tigre*. Alguien dirá rápidamente *rayas*, otro *amarillo*, otro *selva*. Apenas se acaben comienzas con otra ronda, por ejemplo: *bombero,* para que los otros digan *casco, rojo, llamas,* etc. Es interesante ver cómo una palabra conduce a otra y lo diferente que puede ser la última palabra de la que comenzó la ronda.

El que primero lo vea

De acuerdo con lo que tú vayas viendo adelante, les vas diciendo: *¿Dónde está un perro carmelito?, ¿un carro con un remolque?, ¿una heladería?*, etc. El que más rápido haya sido pasa a preguntar.

Cadena de palabras

Uno de los niños comienza diciendo cualquier palabra, por ejemplo *bicicleta*, y el siguiente responde con otro vocablo que empiece con la última letra de la palabra precedente. En este caso seguirá con *árbol, limón, nube, elefante,* etc.

Esta actividad estimula el lenguaje y la rapidez mental

5 +

Rueda la pelota con la letra

Divides en dos el grupo de niños que tengas y lanzas la pelota a uno de los jugadores, el cual debe hacerla circular de mano en mano. En un momento dado tú harás sonar un pitazo, al instante se detiene la pelota; el jugador que quedó con ella debe decir diez cosas que comiencen por la letra que tú indiques, por ejemplo, la *R*, la *P*, etc.

La pelota continúa avanzando de mano en mano hasta que acabe de nombrar las diez cosas. Al jugador que quede nuevamente con la pelota, le indicarás con qué letra debe nombrar diez cosas más.

Comienza de nuevo a circular la pelota y a relacionar objetos, así sucesivamente hasta que alguien se equivoque y cumpla una "penitencia".

●Para variar el juego

Amo a mi amada con la A

Siguen con el mismo círculo. El primer niño dice: *Amo a mi amada con la A* porque es *amable*, el segundo debe decir: *Amo a mi amada con la B* porque es *bonita*, o cualquier adjetivo que empiece por la letra *B*. El tercero utilizará la letra *C,* y así sucesivamente. Quien no conteste en ocho segundos debe salir.

Esta actividad estimula el desarrollo del lenguaje

5 +

Los trabalenguas
. . . .

Los trabalenguas, abundantes en todos los idiomas, constituyen uno de los más antiguos juegos de salón. Se proponen en una reunión para que las personas los repitan con la mayor rapidez posible.

Al tratar de pronunciarlo rápidamente será difícil encontrar a la persona que lo diga bien.

Habrá algunos de lengua pesada y se enredarán sobre manera, causando abundantes carcajadas.

Comienza con el siguiente que es muy sencillo:

— *En un plato de trigo comieron tres tristes tigres.*

— *Compadre cómpreme cocos. Compadre yo no compro cocos; porque como poco coco como, poco coco compro.*

— *Tengo una marranita patimanicolicrespita.*

● Para variar el juego

Organiza una competencia para crear nuevos trabalenguas.

Esta actividad estimula el manejo del lenguaje

5 +

¿Qué pasa con tu fruta?
. . . .

Cuando estés con más de dos niños puedes organizar este juego asignándole a cada jugador el nombre de una fruta, sin repetir; y tú escoges una fruta para ti. Comienza el juego inventando, uno por uno, una frase que tenga sentido y lleve al final el nombre de la fruta, por ejemplo: *me comí un aguacate, voy a regalarte una manzana; qué rica está la piña.* Cada uno irá diciendo su frase, continuando el siguiente, hasta que vuelven a empezar. El que se demore más de siete segundos o no sepa qué decir va saliendo.

● Para variar el juego

Frases incoherentes

Se le hace al jugador una pregunta distinta y debe responder diciendo el nombre de la fruta correspondiente. Por ejemplo, le preguntan: *¿Cómo te llamas tú?,* él responde: *Aguacate. Cuando sales de tu casa, ¿qué te pones? La guanábana. ¿Qué te duele? La manzana,* etc.

Esta actividad estimula el desarrollo del lenguaje

5 +

¡Vaya!, qué disparate

Forma un círculo con los niños.

Pide a cada uno que diga un disparate, como por ejemplo: las vacas vuelan, las vacas tienen tres patas, el sol sale de noche.

Una vez todos hayan tenido oportunidad de decir una frase, comienza de nuevo pero añadiendo cada vez la que el compañero anterior ha dicho, hasta completar una historia disparatada.

●Para variar el juego

Puedes pedir que cada uno haga una frase al revés, para que los demás traten de decirla correctamente, por ejemplo: patio el en juega Pablo (Pablo juega en el patio).

Esta actividad estimula el razonamiento verbal y aumenta el vocabulario

6 +

Al son que le toquen

Sienta a los niños en un círculo y toma un objeto cualquiera, que puede ser una pelota, y dáselo a un participante para que lo vaya haciendo circular entre todos los jugadores, mientras él emite sonidos con un pito o una dulzaina. Cuando deje de sonar, el objeto se detiene, y el jugador en poder de quien se encuentre empieza a decir doce palabras que comiencen con la letra que tú elijas. Las palabras no deben repetirse.

●Para variar el juego

Puedes hacerlo pidiendo a un participante que prenda un fósforo y durante el tiempo que dure prendido diga el mayor número de palabras que comiencen por la letra que tú hayas elegido. Otra variación es la de pedir repetir una palabra propuesta, pero invirtiendo las sílabas. Por ejemplo: "a-e-ro-di-ná-mi-co" - *"co-mi-ná-di-ro-e-a"*.

Esta actividad estimula agilidad en el lenguaje

6 +

Frutas y frutas

Forma un círculo con los niños y asígnale a cada uno el nombre de una fruta, sin repetir ninguna.

Pide a cada uno que haga una frase con la fruta que le tocó en suerte.

Anímalos a elaborar frases originales y divertidas.

●**Para variar el juego**

Dile a los niños que a cada pregunta que tú hagas, ellos te respondan con el nombre de la fruta.

Por ejemplo, si preguntas,

¿De qué operaron a tu tío?,

él debe responder:

A mi tío lo operaron del aguacate,

si este fue el nombre que le tocó.

Esta actividad estimula la expresión verbal

6 +

Descubriendo el refrán

En un grupo de niños solicita a alguien que quiera hacer de adivino, pídele que se retire del juego hasta que se llame para que no oiga la distribución de palabras que se va a hacer. Con el adivino fuera del salón, dile a cada niño una palabra de un refrán escogido con anterioridad y que deberá decir cuando el adivino entre y pregunte por el refrán. Llama al adivino que entre y pregunte al grupo por el refrán: ¿Qué refrán escogieron? Los jugadores responden al mismo tiempo la palabra que se les asignó. Si por ejemplo el refrán es: *A quien madruga, Dios le ayuda*, el adivino debe decirlo a pesar de que todos hayan dicho su respectiva palabra a un mismo tiempo, lo que no deja de crear cierta confusión.

●**Para variar el juego**

Da a los participantes cinco minutos para pensar un refrán con el que deban contestar a la pregunta que se les haga sin importar lo disparatada que resulte la respuesta. Un ejemplo aclara bien el juego. Al preguntársele al primer jugador: *Qué toma al desayuno*, debe responder: *A caballo regalado no se le mira el colmillo*, siempre y cuando haya sido este el refrán que pensó. Y así con los otros refranes.

Esta actividad estimula la expresión y facilidad en el lenguaje

6 +

La memoria prodigiosa

Pídele al niño que lea cuidadosamente las diez palabras siguientes:

Pocillo - Muestra - Elefante - Banano - Ventana - Arbol - Radio - Leche - Zapato - Nariz.

Ahora dile que sin mirar la lista, escriba todas las palabras que logre recordar.

●Para variar el juego

Organiza a los niños en dos grupos y empieza pidiendo a algunos de los participantes que te traigan uno de los objetos que vayas describiendo y les nombras tres características.

Cuando ya tengas un número suficiente de objetos, los cubres con un periódico o algo parecido y llamas a un representante de cada grupo y les mandas a hacer la lista de todos los objetos que están ahí tapados. Aquí tienes unas claves para recordar una lista de objetos.

1. Piensa en ti mismo al leer el nombre del primer objeto e imagínate que se trata de algo gigantesco o divertido por cualquier razón.

2. Asocia ese primer objeto con el segundo en una forma divertida.

3. Luego asocia el segundo objeto con el tercero, y así sucesivamente con todos los demás.

4. Ensaya ahora con la lista que te dimos.

Esta actividad estimula la memorización

6 +

El juego de las palabras

El juego consiste en formar varias palabras con las letras de palabras que se han dado previamente. Por ejemplo:

DESAFIO	Feo
	De
	Sas
	As

●Para variar el juego

Pídele que encuentre palabras de cuatro letras, de tres, etc.

Ensaya con otras palabras como: *extranjero, departamental, interpretaciones.*

Esta actividad estimula la creatividad y el lenguaje

6 +

Rápido, rápido, sin quemarnos

Se escoge una letra, *E, R, S, T* o cualquiera otra. Un jugador enciende un fósforo y va diciendo palabras que empiecen por la letra escogida, se van contabilizando hasta que se apague el fósforo o hasta que le toque a él mismo apagarlo. Luego sigue otro, y otro, y así sucesivamente. Ganará aquel que dijo el mayor número de palabras sin quemarse los dedos.

●Para variar el juego

Se puede volverlo un poco más complicado pidiendo que las palabras que se digan por esa letra sean únicamente animales, o nombres de personas o cosas.

Esta actividad estimula el desarrollo del lenguaje

6 +

Haciendo series

Haz una ronda con los niños y pídeles que escuchen bien para descubrir qué cosas colocan juntas porque son de la misma clase y cuáles se quedan por fuera porque no pertenecen a ella.

Diles lentamente tres palabras, por ejemplo:
Tenedor, zapato, cuchara.
Mesa, camión, silla.
Mantel, pantalón, camisa.
En cada serie espera hasta que los niños descubran cuáles son las cosas que guardarán juntas.

●Para variar el juego

Inventa categorías diferentes, por ejemplo, para los más pequeños, series de cosas que son de la casa y otras que no son.

Para estimular la comprensión verbal

6 +

El mensaje cifrado

Cada niño debe decir un pequeño mensaje expresado por medio de dibujos. Por ejemplo: —*Tengo tres hermanos.* —*Me gusta jugar.* —*Me siento bien.*

Una vez hecho esto se expone el mensaje de cada uno y los demás niños deben tratar de descifrar el mensaje. Finalmente pueden armar una historia con todos los mensajes y leérsela a alguien que no haya participado en el grupo.

●Para variar el juego

Para niños más pequeños, escríbeles una frase en letra imprenta clara y grande. Léeles la frase y pídeles que la expresen en dibujos.

Por ejemplo, Juanita y Pablo van a la escuela.

Hazle jeroglíficos sencillos para que los descifren. *(Figura No. 3).*

Esta actividad estimula la comprensión del significado de un símbolo y su expresión verbal

Figura No. 3

6 +

La historia sin fin
. . . .

Uno de los padres debe comenzar inventando una historia fantástica con animales que hablan, coches que vuelan, casas en el aire, etc. Luego de tres o cuatro frases el narrador señala a alguien para que continúe la historia, y después señala a otro. A los cinco minutos más o menos, la persona que está narrando debe señalar a otra para que termine la historia atando todos los cabos sueltos.

●Para variar el juego

Adivina adivinador

Copia la siguiente lista de adivinanzas (sin las respuestas) y mira cuántas pueden adivinar los niños cuando estén en la cocina:

Aparato para perezosos	*cuchillo eléctrico.*
Sujeto muy absorbente	*la esponja.*
Baile juvenil	*la batidora.*
Ayuda a despertar	*olla pitadora.*
Mal carácter	*vinagre.*
Revelador de secretos	*el destapador.*
Innecesaria para esquimales	*la nevera.*
Gran invento suizo	*el chocolate.*
Mucha gracia	*salero.*
Inspirada por la pata del pato	*espátula.*

Puedes complicar estas adivinanzas colocando las que aparecen en libros especializados en éstas. Por ejemplo:

Agua pasó por aquí
cate que no la vi.   *Aguacate*

Esta actividad estimula el lenguaje

6 +

Tingo
. . . .

A los niños les encantan los juegos de palabras. Uno de los más tradicionales es *Tingo*.
La instrucción es la siguiente:
Forma un círculo con los niños y comienza, acompañada de palmas, a decir: *Tingo diga usted palabras que comiencen por la letra A*; cada uno de los participantes deberá pronunciarla rápidamente, para así pasar a otra letra.

●Para variar el juego

Puedes hacerlo con nombres de cosas, por ejemplo de frutas, de ciudades, de personas, etc.

Esta actividad estimula la adquisición de palabras y la facilidad de expresión

6 +

El juez y el acusado

. . . .

Pon encima de la mesa diferentes objetos corrientes: taza, lápiz, hoja de papel, un libro, etc. Comienza formando parejas con los jugadores y entrega un objeto al niño de la primera pareja, dale dos minutos para que lo observe y prepare la descripción del objeto que se le ha suministrado. Lo mismo se hará con las otras parejas. Saca a la suerte el niño que va a ser el acusado y el que va a ser el juez y di: Qué comience el interrogatorio.

Juez: *Acusado, póngase de pie y explíquenos el aspecto de este objeto y para qué sirve.*

El acusado debe responder explicando todo sobre el objeto. Si el juez desea, puede hacer preguntas sobre este. Si el juez queda satisfecho con la respuesta gana puntos el acusado y sigue la otra pareja.

Esta actividad estimula la expresión verbal

7 +

Pares dispares

. . . .

Invita a los niños a dibujar veinte zapatos y luego a que coloreen cada par (o sea dos) de un mismo color, quedando diez pares de zapatos de color diferente.

Cuando los tengan listos recórtenlos y le escriben a cada par por detrás una pareja de antónimos, por ejemplo:

alto/bajo
pequeño/grande
sí/no
dentro/fuera
duro/suave
frío/caliente
dormido/despierto

Entre todos encontrarán más antónimos.

Conocerlos supone el primer paso para leerlos, por lo que resulta muy conveniente que hagan la lista juntos.

Completa el juego con otros pares de zapatos pero escribiendo en ellos cosas que tengan relación entre sí, como *zapatos/medias, pan/mantequilla, bate/pelota,* etc., o con palabras sinónimas: *fácil/sencillo, rápido/veloz, pequeño/menudo.*

●Para variar el juego

Una vez tengan la lista y las hayan escrito en el revés, mezclas las fichas y las dejas por el lado de los zapatos, y los niños, con oportunidad de levantar dos fichas por turno únicamente, deberán reunir pares de antónimos, sinónimos o relaciones.

Cada vez que hagan pareja, las vuelven a tapar.

Esta actividad estimula el conocimiento del lenguaje

7 +

Hagamos historias con los opuestos

Redacta una pequeña historia con muchos adjetivos, léeselas a los niños dos veces, la primera para que se enteren de qué se trata y en la segunda les pedirás que encuentren el contrario de cada adjetivo y de cada verbo. Un ejemplo de tu historia: *En su cómoda camita, Martha estaba soñando que corría por una playa soleada. Se ha bronceado mucho. El vendedor de helados le regala un cono. ¡Qué vacaciones tan estupendas! ¡La vida es maravillosa!* Los niños la convertirán en la siguiente: *En su cama grande y dura (o fría), Martha tiene una pesadilla. Está parada en una playa gris (o lluviosa). Tiene la piel blanca, y el vendedor de helados le vende un cono. ¡Qué vacaciones tan horribles! ¡La vida es muy triste!* Son admisibles diversas respuestas. La idea es que el niño encuentre rápidamente el verbo o el adjetivo adecuado.

●**Para variar el juego**

En cambio de buscar opuestos, haz que los niños busquen sinónimos a los adjetivos y verbos de la historia.

Esta actividad estimula el incremento del vocabulario y desarrolla agilidad mental

7 +

Descubre la palabra

Uno de los niños sale de la habitación donde se encuentran y los otros, mientras tanto, escogen una palabra. Cuando vuelve a entrar, planea una pregunta cualquiera a uno de los presentes, quien debe responder con una frase inventada y bastante larga, que contiene la palabra elegida; después se dirige a otro, quien contesta de la misma forma, y luego a otro. Llegado a este punto, debe adivinar la palabra escondida en cada una de las frases. Si no lo logra, cumple una penitencia. Si adivina, escoge de entre los tres que le dijeron las frases, el que le pareció más original, quien pasará a ocupar su puesto.

●**Para variar el juego**

El color, el número, o adjetivo

Es semejante al juego anterior, pero la palabra escondida es un color, número o adjetivo (según la edad de los participantes) que en la respuesta no debe nunca ser nombrado y debe ser sustituido por un gesto o mímica que exprese esa palabra.

Esta actividad estimula el lenguaje, la atención y la creatividad

7 +

Ta-ta-ta

. . . .

Redacta algunos textos breves que contengan varias veces los adverbios *antes, después, durante* y *mientras*, sin embargo no los coloques y reemplázalos por la palabra *ta-ta*.

Lee frase por frase y ellos irán cambiando el *ta-ta* por el adverbio correspondiente.

Ejemplo: *Ta-ta se está cambiando el abrigo, ta-ta de salir, Juan pregunta a su mamá si le permitir jugar dominó ta-ta del paseo. Su mamá le contesta que no, que ta-ta del paseo hay que cenar y ta-ta irse a la cama.*

●Para variar el juego

Puedes hacer este mismo juego, pero reemplazando el ta-ta por verbos para que los conjuguen según el tiempo que corresponda.

*Esta actividad estimula el lenguaje
y ayuda a situarse en el tiempo*

. . . .

Capítulo II

Area socioafectiva

· ·

Descubriendo los encantos de la interacción social

El juego permite la interacción permanente entre el niño y el ambiente que le rodea, tiene como base a la comunidad, porque se enmarca en un proceso participativo que lleva hacia la integración, expresada en la creación grupal. A través de éste el niño retoma su medio, lo recrea y lo regresa transformado.

Es mediante el juego como el niño expresa sus sentimientos y sus conflictos, y escogiendo juegos en los que le sea necesaria la cooperación de niños de su misma edad, logra llenar sus necesidades socioafectivas; esta es una función social importante, ya que gracias a él se realizan los ideales de convivencia en comunidad. Su influencia emocional es vital porque ayuda a que el niño adquiera confianza y seguridad en sí mismo, descargue sus emociones y dé así escapatoria a su agresividad y a sus temores; por ejemplo, mediante el *juego de fingimiento* el niño logra expresar su necesidad de protección por parte de sus seres queridos. Gracias a éste, se hace como en el teatro: un ensayo de las situaciones de la vida y de las experiencias que no ha logrado comprender, tratando en su intento de superar todos los obstáculos y sobrellevar la ansiedad que esta falta de comprensión de las situaciones reales le han generado, y expresar sus deseos.

Influye también en la capacidad afectiva, el cariño por las demás personas, el reconocimiento y la gratitud, aprende a callar para dejar que otro hable; a aceptar posiciones diferentes y a defender las propias, ya que en él se realizan todo tipo de actividades que comparten la colaboración, el diálogo y el encuentro en comunidad.

El juego democratiza todas las relaciones sociales, siempre ganará el mejor. Fortalece la autoestima, el control de sí mismo en presencia de las dificultades y de los fracasos, la responsabilidad y el sentido de cooperación.

El desarrollo de la sonrisa va paralelo al progreso alcanzado en el juego, a medida que el niño se va haciendo más activo y puede dar más respuestas de buen humor, su actividad en este último se va tornando también más participativa.

La mayoría de los juguetes para los niños tienen una carga afectiva, que conservarán con el transcurrir de los años: las muñecas y los animales ayudan al aprendizaje de la maternidad y la paternidad. Tanto las niñas como los varones jugarán a alimentar, bañar, dormir o acunar a los muñecos, en las niñas esto será más reforzado que en los varones, los niños preferirán juguetes que les sirvan como materiales de construcción (los cubos y aquellos que puedan utilizar para modelar y pintar). En general, a los niños les gusta todo objeto que les facilite proyectar su fantasía.

A medida que el niño crece, su juego se va haciendo más entendible para nosotros los adultos, más realista, le añade más cantidad de detalles, siendo más fiel a la vida real, sin que por ello en ciertas situaciones le dé vuelo a su imaginación.

El juego influye en el desarrollo moral ya que es una práctica basada en reglas y leyes, en el respeto por el otro, la credibilidad y la confianza, permitiéndole entrar en contacto consigo mismo y con la dinámica de los valores sociales desde muy temprana edad. La aceptación de estas por parte del niño constituye una escuela para la formación de la voluntad. El juego es el campo de acción en el cual el niño aprende a dirigir su conducta, porque es un sistema en extremo complejo de reglas y código legal propio. Tales reglas aparecen gradualmente en los juegos de los niños y reflejan los primeros intentos de organización de los hábitos emocionales, mentales y sociales. Así por ejemplo: el gusto por los juegos repetitivos son el esbozo de un orden, tan necesario en los primeros años de vida. El ordenamiento de las cosas supone también orden en las acciones, dejando en ello su sello personal. A su vez este genera gusto por las reglas y dominio de su conducta, ya que por medio de estas reglas es como el niño manifiesta su permanencia, su voluntad y su autonomía.

. . . .

2 +

Gritemos nuestro nombre

. . . .

Explícale a tu niño que debe estar orgulloso de su nombre y que tú le vas a dar la oportunidad de celebrarlo diciendo su nombre varias veces.

— Haz que el niño grite su nombre.
— Haz que el niño diga su nombre a la vez que se ríe.
— Haz que el niño mueva la cola al mismo tiempo que dice su nombre.
— Haz que el niño gruña su nombre.
— Haz que el niño aúlle su nombre.
— Haz que el niño diga su nombre muy lentamente y lo alargue.
— Haz que el niño cante su nombre.
— Haz que el niño aplauda su nombre.

Repítelo una vez más, luego ya nadie lo parará, sobre todo si lo están haciendo varios al mismo tiempo. Todos querrán gritar más duro su nombre que el de al lado.

●Para variar el juego

Puedes hacer que mientras que uno grita su nombre, los demás le hagan eco o que lo bailen.

Esta actividad estimula el orgullo por lo propio

2 +

Zapatero multiuso

. . . .

Consíguele a cada uno de los niños una bolsa para zapatos, sin importar la edad que cuentan. Si tienes un bebé, amarra el zapatero en la parte superior de su corral y llena de juguetes cada bolsillo. Al principio, él sólo podrá alcanzar los bolsillos más bajos, pero a medida que pueda levantarse podrá disfrutar los contenidos de los bolsillos superiores. Deja que los otros chicos hallen por sí mismos formas de usar las bolsas. Por ejemplo, cuando se fijan a la pared, constituyen sitios excelentes para guardar juguetes pequeños. A las niñas grandecitas les gusta tenerlos en el *closet* para guardar cintas, bufandas y medias. Tanto niños como niñas pueden colocar también utensilios para arte. Si no les encuentran uso a los zapateros, déjalos sencillamente para guardar zapatos.

●Para variar el juego

La caja de mis juguetes especiales

Escoge junto con el niño los juguetes con los cuales se entretiene más estando solo y ponlos en una canasta o en una caja de cartón que él mismo pueda decorar, pintándola o forrándola con recortes de revistas. Luego guárdala en un lugar que no estorbe y dásela al niño cuando tenga que jugar solo. Esta actividad lo tendrá distraído por largo rato.

Esta actividad estimula la recreación

2 +

La piscina

. . . .

Si se encuentran en algún sitio donde haya una piscina, ésta será el punto de mayor diversión y actividad para los niños.

Los siguientes tipos de carrera pueden disfrutarse en cualquier piscina: la lleva, carrera bajo el agua o con una brazada específica, carrera a través de aros, carrera remando con las manos sobre un flotador o neumático de un bus o camión, empujando una bola con el mentón, y carrera moviendo una sola mano o un solo pie. Otros juegos incluyen viejos favoritos como *quemado* (mantener a los demás alejados lanzando agua rápidamente con las manos) y *waterpolo* (una especie de fútbol pero con la mano y una portería a cada lado por fuera de la piscina).

●**Para variar el juego**

Piscina inflable

Son muchas las actividades que una familia puede disfrutar, especialmente en un día caluroso, si dispone de una piscina inflable.

Proporciónales máscaras de buceo para que examinen objetos interesantes en el fondo. Hagan barquitos de papel y organicen regatas soplándolos de un lado a otro.

Coloquen sillas alrededor de la piscina y saboreen una comida con los pies en el agua. Organiza una brigada que vacíe con baldes la piscina y riegue las raíces de los árboles. Descansen sencillamente sumergidos bajo el sol.

Invitación para un día caluroso

La piscina puede ser una de las actividades que puedes llevar a cabo en una reunión que organices. Ayúdales a los niños a hacer galletas y limonada e indícales cómo escribir invitaciones sencillas para una *reunión de piscina y limonada*, especificando el día, la hora y el lugar.

Luego las reparten a sus amiguitos y adultos del vecindario.

Ayúdales a arreglar el sitio escogido para que todos puedan sentarse a la sombra y disfrutar de una buena conversación junto con limonada y galletas.

Esta actividad estimula la recreación

3 +

Bebé en camino

Cuando viene en camino un bebé, es muy importante no sólo decírselo, comentárselo, que toque y vea crecer tu barriga, sino también sobre lo que será ese nené, cómo dormirá, qué comerá, cómo se cambian y en general los cuidados y cariños que él va a necesitar.

Consigue un muñeco y enséñale cómo se coloca un pañal, puedes utilizar papel higiénico y cinta pegante. Muéstrale cómo se juega con un bebé, cuáles son los juguetes apropiados y por qué, haz que imite el llanto, que lo arrulle, abrace y acaricie. Coméntale sobre la alimentación del bebé, explicándole que algunos se nutren con biberón y otros con pecho. Con un frasquito haz que simule estar alimentándolo y enséñale cómo sacarle gases. Luego que lo lleve a la cuna y le tararee una canción para arrullarlo.

●Para variar el juego

Llévalo al hospital donde vas a tener al bebé, explícale que allí nacerá su hermanito y estarán los dos un par de días. Mira a ver si te dejan ingresar a la salacuna y pídele a una enfermera que lo entre y le hable sobre todo lo referente a los cuidados y cariños que necesitan los bebés.

Esta actividad estimula el conocimiento
y cuidado de los bebés

3 +

Ayudemos a mamá

Cuando entres en el cuarto de los niños y lo encuentres como de locos, un desorden terrible y todo regado por todas partes, organiza a toda la familia para una carrera de *recogida*. En el corredor pueden apostar cuánto tiempo tardarán recogiendo, ¿tres minutos?, ¿cinco?, ¿diez? Tú darás la partida afuera diciendo: *¡A la una... a las dos... y a las tres!*

Todos deben empezar a recoger y a poner las cosas en su sitio (esto quiere decir que cada cosa debe colocarse en su lugar y no en cualquier parte).

El trabajo se realiza con mayor velocidad si hay lugares apropiados para poner los juguetes. Si alguno está haciendo las cosas *demasiado* rápido, de manera que no permite ir dejando todo ordenado, o va muy *lento,* los demás deberán contrarrestar esta actitud.

El único premio será la satisfacción de haber ganado. Luego de algunas carreras como estas, a los niños les parecerá que recoger y ordenar no es aburridor.

●Para variar el juego

Soy capaz con eso

Cuando lleguen a casa después de efectuar algunas compras o de hacer mercado, dile a cada uno de los niños lo que debe bajar del automóvil según su capacidad. Debes enseñarlos desde pequeños a ayudar.

Si han llegado de un paseo les haces ver que el viaje termina cuando el automóvil esté limpio, ordenado y listo para uno próximo.

Esta actividad estimula y promueve la enseñanza de las normas sociales

3 +

Juegos sin necesidad de armas

Hoy en día se hace más necesario en el juego del niño *el arma*.

La emoción del juego o la aventura la han centrado en *la gran pistola, en la súper espada, las fabulosas Mi, los increíbles aviones y tanques de guerra*, etc., lógicamente aumentando en ellos sentimientos de agresividad y debilitando el valor por la vida.

Sin embargo encontramos cada vez más padres que son conscientes de esto y logran disuadir a sus hijos de divertirse con armas de juguete.

La buena puntería se puede lograr jugando a los bolos, la fortaleza física puede cultivarse en un gimnasio hecho de troncos, y la competencia se encuentra en todos los juegos pero de una forma más sana.

Hay juegos con gran aventura que hasta los puedes sugerir tú como madre: *Hay un camión enterrado en la arena del desierto del Sahara que no puede avanzar.*

Este está cargado con regalos de cumpleaños, un pastel y velas que pueden derretirse rápidamente.

La misión de ustedes es rescatar el conductor, el cargamento y entregar a tiempo el pastel para la fiesta. Pero hay un grupo de chicos golosos que también está tratando de encontrar el camión.

Los niños pueden terminar con la historia desde este punto y seguramente los sorprenderán con su creatividad.

●Para variar el juego

Convirtamos el parque en las calles de la ciudad

Escoge un parque que tenga caminos, canchas de básquet o voleibol, y en general un buen espacio. Elaboren conos de prevención en papel grueso anaranjado y fíjenlos al suelo con piedras para que no se vuelen. Con marcadores gruesos, dibuja con los niños todas las señales de tránsito: pare, prohibido girar a la izquierda, a la derecha, hacer la U, no parquear aquí, no adelantar en este momento, cruce de niños, etc., y colóquenlas en árboles, canecas de la basura, troncos, o sencillamente fíjenlas en palos y plántenlos a lo largo de los caminos.

En las canchas de deportes, o en los andenes, marquen con tiza amarilla los carriles, haciendo desvíos en vías de acceso. Si hay bastantes niños, pinta un semáforo con sus colores, dejando libre con la mano la luz que les interese. *(Figura No. 4)*.

Otros niños pueden ser policías de tránsito o empleados de la gasolinería (con algunas herramientas para *arreglar* triciclos en el taller de mecánica).

Esta actividad estimula la recreación y el cumplimiento de normas de respeto social

Figura No. 4

3 +

Imitemos animales

Reúne mínimo cuatro niños y divídelos en dos grupos. Tomarán parte en una comedia haciendo movimientos y sonidos de animales, ya sea espontáneamente o repitiendo lo que los niños de su grupo le van diciendo.

Antes de comenzar debes *calentar* el grupo haciendo que sus integrantes paren, corran, se agachen, troten en el mismo sitio, etc.

Ayúdalos pensando en animales específicos para representar como pájaro, vaca, perro, gato, león, etc. Si no se ponen de acuerdo, sugiéreselo en secreto a uno de los grupos para que el otro no se entere.

El otro grupo tendrá que adivinar el animal que se está simbolizando.

A cada niño se le deber dar la oportunidad de representar un animal.

●Para variar el juego

Si tienes niños de mayor edad, puedes ponerlos a representar héroes de películas como Superman, El hombre araña, La mujer maravilla, Batman, etc.

Esta actividad estimula la interacción social

3 +

Imitemos a mamá

Muchas veces encontramos al niño en *cuatro patas* y diciendo *miau, miau*, cogiendo el teléfono e imitando como habla papá, etc. Otras veces les gusta reproducir cualquier acción que estemos efectuando en ese momento: cocinando, barriendo, planchando, etc. Estas son formas naturales de hacer mímica, sin embargo, si tú quieres que el niño haga mímica, sencillamente comienza a efectuarla tú misma e invítalo a que te siga.

●Para variar el juego
Seguir al líder del juego

Tú no tienes que anunciar el juego. Simplemente comienza a imitar lo que esté haciendo alguien. Te seguirán fácilmente e irán apareciendo líderes. Llama la atención de los niños con acciones inusuales. Aplaude con las manos y contra diferentes partes de tu cuerpo nombrándolas al mismo tiempo. Los niños te secundarán. Empieza a bailar cuando oigas la música y tendrás un gran grupo de bailarines. Esta es además una forma para que te ayuden a limpiar o a organizar. Hazlo que parezca divertido y puedes acompañarlo de una canción.

Esta actividad estimula la interacción social

4 +

La granja
. . . .

Léeles libros sobre fincas, granjas y los cultivos que se siembran allí. Muéstrales fotos de animales, háblales sobre los cuidados que necesitan, si dan leche, huevos o carne. Explícales las herramientas, las maquinarias y las edificaciones que se necesitan para guardar los animales y los alimentos tales como establos, graneros, silos, hangares, etc. Consigue una mazorca con muestras de cereal, miel de maíz, harina de maíz, aceite de maíz, etc., y explícales como todos ellos son derivados de ésta. Igual puedes hacer con otros productos. Luego, diles que te dibujen su propia granja con los animales que les gustaría tener y los cultivos que más les llaman la atención. Una vez hayan terminado, pídeles que te cuenten la historia referente a ese lindo dibujo.

●Para variar el juego

— Organiza un día de campo y llévalos a disfrutar de todo aquello de lo que estuvieron hablando y dibujando.

— Permíteles sembrar cualquier cosa en el jardín de la casa.

— Estudia la posibilidad de comprarles un mascota-bebé, como un gatico, un perrito, un patico. Ponles de presente que son bebés y que por lo tanto necesitan muchos cuidados.

Esta actividad estimula la interacción con el campo y los animales

4 +

Pequeños grandes comensales
. . . .

Es importante que los niños también algún día se conviertan en anfitriones de una deliciosa reunión.

Prepara una cena sencilla con una rica carne, verduras al horno y papas fritas. Para esta ocasión cada miembro de la familia invita a la misma hora exacta. Nadie revela el nombre de su invitado y, tras la sorpresa de las llegadas, la conversación será animada durante toda la velada.

●Para variar el juego

Artistas comiendo

Esta actividad es perfecta especialmente con los niños con quienes tenemos problemas de no querer comer. Cubre la mesa con uno o dos pliegos de papel blanco. Coloca unas cinco crayolas junto a los cubiertos de cada cual. Las únicas reglas para esta actividad son dibujar y comer. Algunos llegarán a hacer minimurales mientras otros dibujarán en diferentes sitios los contornos de platos y vasos. Procura que los niños no los ensucien para poderlos utilizar en varias sentadas hasta que no quede un sitio en blanco. Cuelga luego esta maravillosa obra en la cartelera familiar o en una pared de la cocina para poderla apreciar.

Esta actividad estimula la interacción social

¿Es dulce o es salado?

Elabora una lista bastante larga de alimentos dulces y salados (por lo menos cuarenta).

Luego ve leyéndoles alimento por alimento y al enunciar cada uno, ellos deberán ir diciendo *dulce, salado*.

Comienza con alimentos sencillos, y poco a poco añade otros susceptibles de prepararse de las dos formas.

●Para variar el juego

Puedes hacer listas de alimentos con diferentes categorías: ácidos, amargos, picantes, frutas, verduras, harinas, etc.

Esta actividad estimula y familiariza al niño con diferentes conceptos tanto de categorías como de sabores en los alimentos.

Cine en la casa

Cuando veas que hay una película especial en la programación de televisión, comienza desde por la mañana colocando un aviso en la nevera para anunciar el título de la película y la hora. Permite que inviten amiguitos. Cuando llegue la hora, organízalos cómodamente, oscuréceles el cuarto y ofréceles palomitas de maíz. Durante los comerciales, que hagan ellos también comerciales sobre lo que ha ido sucediendo en la película, y en uno de ellos, hacia la altura de la mitad de la película, ofréceles alguna sorpresa que les hayas hecho o comprado, como un pastel, donas, paletas, etc.

●Para variar el juego

Si tienes una videograbadora, no hay necesidad de que te esperes al día y la hora de la televisión, sino que puedes convertir una tarde gris y lluviosa en algo grandioso alquilando la película de moda, o por lo menos del tema que más les guste.

Esta actividad estimula la interacción social

4 +

Después de la cena
. . . .

Torres con naipes

Consigue una baraja y enséñales a hacer con los naipes torres, casas, edificios, castillos, etc.

Organiza juegos para ver quién puede hacer la más larga o la más alta. ¿Cuál construcción dura más tiempo? También pueden jugar todos al mismo tiempo agregando una carta por turnos. ¿Cuál carta hará que la casa se derrumbe?

O coloca diez cartas en cada puesto de la mesa del comedor al terminar la cena, y cada miembro de la familia hace algo interesante con sus cartas, un diseño, una tienda cónica, una casa, etc.

● **Para variar el juego**

Afuera sin salir de casa

Haz que los niños imaginen que la casa es un bosque. Cada miembro de la familia debe escoger un sitio especial para dormir en el suelo, en catres portátiles o en bolsas de dormir. Alguno de estos sitios puede ser: debajo de la mesa del comedor, junto a la chimenea o entre la bañera.

Se reúnen primero al lado de la chimenea, apagan las luces y cuentan historias que sucedan en bosques, o leen un libro referente al tema.

Pon música suave y dales a todos una linterna para que puedan ir a su sitio a acostarse.

Una noche con el álbum de papá y mamá

Saca álbumes de fotografías viejas. Hagan una lista de categorías simpáticas para buscar: la persona más adorable, la más extraña, la peor vestida, la pose más loca. Vean cuánto han cambiado las personas.

Pon a que los niños adivinen los nombres de individuos difíciles de identificar.

Este juego no debe durar más de treinta minutos porque se pueden aburrir los niños.

Cena a la luz de la vela

Prepara con los niños una cena muy especial, esta no necesita que sea con platillos muy refinados sino con los que más les guste a la mayoría, y lo más importante es que se apagan las luces y se prenden varias velas.

Los niños disfrutan muchísimo este tipo de iluminación. Luego, cuando terminen, enséñales cómo apagarlas para evitar salpicaduras de cera e impedir que caigan pedazos de mecha encendida en la mesa.

Esta actividad estimula la interacción social

4 +

Camping en el jardín de la casa

Como plan para un fin de semana, puedes decirle a tus niños que inviten a sus primos o vecinos. Ojalá todos estén en una misma edad promedio para que sus intereses sean compatibles. Es necesario que cada día los niños tengan la compañía de un padre voluntario; si el número de los niños supera los cinco o seis, el padre deberá nombrar un *secretario* para que siempre haya dos adultos disponibles.

Escojan las actividades con ayuda de los niños: levantar las carpas, caminatas para observar la naturaleza, gimnasia, conocimiento acerca de los indígenas, cómo hacer hogueras, cocina al aire libre, rastreo, narración de historias, aprender a hacer nudos, remar, etc. Deben organizar las actividades y definir en qué sitios se llevarán a cabo a fin de elegir un nombre para el grupo y un color de camiseta o bufanda para identificar a los campistas. La última noche prepararán una cena en la hoguera con todas las familias.

●Para variar el juego

La siguiente actividad la puedes llevar a cabo estando o no en plan de camping.

Aprendamos sobre las estrellas

En una noche despejada extiendan mantas sobre el césped y acuéstense a mirar las estrellas, si alguno de ustedes, papá o mamá, distingue las constelaciones, muéstrenselas empezando por la Osa Mayor. Si no, sencillamente traten de sacarles formas a las estrellas, ¿aviones, pájaros, ovnis?

Esta actividad estimula la interacción social

4 +

Las ballenas atacan el barco

Este juego es ideal para un día soleado y jugarlo con vestido de baño.

Consíguele a cada jugador un atomizador (*spray*) y búscate en el jardín o en el parque una piedra grande o un árbol donde se puedan subir, el cual hará las veces de un barco en altamar en medio de una tormenta. En él estará el capitán con un pito o silbato.

A metro y medio de allí colocarás un pedazo de cuerda estirada (ajusta la distancia de acuerdo con la edad de los niños). Detrás de la cuerda estarán los demás niños haciendo de ballenas que lanzan agua con otros atomizadores.

El capitán hace sonar el silbato una vez, y las ballenas deben tratar de mojarlo. (Si uno lo logra, toma el lugar del capitán y éste pasa a ser ballena). Cuando el capitán haga sonar dos veces el silbato, las ballenas deben cesar de lanzar agua y quedarse quietas para que él tenga la oportunidad de usar su atomizador. Si moja a una ballena, ésta pasa a formar parte de la tripulación del barco. Luego, el capitán hace sonar una vez más el silbato para que las ballenas lancen agua de nuevo. El juego continúa con esta secuencia hasta que todos los jugadores hayan pasado al barco o el capitán sea mojado para que el juego empiece de nuevo con otro capitán.

Para facilitarte el ver si el uno mojó al otro, se debe tener de cada lado una olla con agua de un color (tíñela con colores vegetales para comida) diferente para cada uno, con la cual van llenando sus atomizadores, y cambiando el agua cuando sean pasados al otro bando.

●Para variar el juego

A que te mojo

Si no puedes llevar a cabo el juego anterior por no contar sino con dos o tres niños, sencillamente dales los atomizadores con la única regla de no echarse agua en los ojos ni en las orejas. Mientras que ellos se divierten disparando agua con sus atomizadores, tú podrás acompañarlos regando las matas. Recuerda que los atomizadores son más seguros para los niños que una manguera de alta presión. *(Figura No. 5)*.

Esta actividad estimula y promueve la recreación

Figura No. 5

57

4 +

Ponchos contra la lluvia

Una forma para divertirse bajo la lluvia sin que se mojen y se resfríen es colaborándoles para que hagan sus propios impermeables. Consigue bolsas grandes de basura y haz cortes para la cabeza y los brazos. A estos ponchos impermeables los niños pueden agregar bufandas o cinturones para hacer atuendos sofisticados a fin de protegerse de la lluvia, los cuales quedarán completos con botas y sombreros de caucho. Confecciónenle también un impermeable al perro y salgan a pasear bajo la lluvia; si ésta es muy fuerte, lleven paraguas. Observen cómo transitan los automóviles, hacia dónde fluye el agua, cómo lucen las plantas. Echen la cabeza para atrás y saboreen la lluvia.

●**Para variar el juego**

El estadio en la casa

Si sigue lloviendo y lo que quieren es salir a hacer algún deporte, miren la lista semanal de programas deportivos de la televisión y escojan uno. Esto lo deben convertir en un verdadero acontecimiento familiar, imaginen que están en el estadio. Cada cual escoge su equipo y su jugador favorito. Coman palomitas de maíz. Griten y lancen vítores. ¡No desperdicien este precioso tiempo!

Esta actividad estimula el aprovechar y convertir en atractivo el mal tiempo o tiempo libre

4 +

Divirtámonos haciendo burbujas

No es necesaria la compra de elementos y jabones costosos. Una mezcla de jabón líquido para lavaplatos (2 cucharadas) y agua (1 taza) es perfecta. Para hacer los burbujeros, cualquier cosa circular sirve, el mango de unas tijeras, los dedos, un alambre redondo, etc.

Si utilizan un ventilador, llenarás tu cuarto de burbujas.

●**Para variar el juego**

Burbujas con pitillo

Dale un pitillo a cada niño y organízales un platón grande con agua jabonosa, indícales cómo deben revolver el agua y luego soplar con el pitillo y hacer burbujas.

Burbujas impresas

A la actividad anterior, agrégale colores vegetales al agua, una vez haya bastante espuma sobre el recipiente coloca una toalla de papel: las burbujas quedarán impresas en esta.

Nota: Si el niño alcanza a tomar algo de esta agua no hay ningún problema, si lo hace en grandes cantidades le causará indigestión.

Esta actividad estimula el área social fomentando la recreación

5 +

Cómo se pone la mesa

Indícale al niño la forma de ubicar correctamente los platos, poniendo encima el que primero se va a colocar y al lado derecho, arriba, el del pan. Acomoda servilletas, tenedores y platos para ensalada a la izquierda; al lado derecho van los cuchillos, los vasos o copas, y en la parte de arriba del plato las cucharas de postre. A los más pequeños hazles un dibujo sencillo y manténlo en el cajón de la cocina o del comedor. De vez en cuando deja que los niños sean quienes pongan la mesa y hagan el arreglo del centro.

●Para variar el juego

¿Son los modales en la mesa un problema?

Si así lo es, en lugar de hacer desagradables las comidas llamando continuamente la atención sobre los modales, realiza ocasionalmente una comida de *malos modales*. Asígnale a cada miembro de la familia los modales que va a representar sin que los demás se enteren. En algún momento de la comida cada persona debe actuar con sus malos modales para ver si lo notan, mientras la comida y la conversación se desenvuelven en forma usual. Destaca a quienes detecten rápidamente el mal comportamiento en la mesa.

Esta actividad estimula y fomenta la interacción social

5 +

¿Dónde venden...?

Haz por lo menos dos listas de objetos y alimentos, y a medida que vas leyendo cada cosa el (los) niño (s) te tendrá (n) que ir contestando rápidamente el nombre del lugar donde lo venden. No debes tardar en recorrer cada lista más de tres minutos, sobre todo cuando hay muchos jugadores. De lo contrario, el juego les aburrirá muy pronto. Ejemplo:

Pescado	*Pescadería.*
Zapatos	*Zapatería.*
Estampilla	*Oficina de correos.*
Pan	*Panadería.*
Cuaderno	*Papelería.*
Anteojos	*Optica.*
Carne	*Carnicería.*
Balón	*Almacén de deportes.*

●Para variar el juego

Luego debes pedirle que te digan cómo se llama la persona que atiende ese lugar.

Carnicería	*Carnicero.*
Panadería	*Panadero.*
Restaurante	*Mesero.*
Zapatería	*Zapatero.*

Esta actividad estimula el conocimiento de las ocupaciones sociales y la capacidad de deducción

5 +

Nuestro club
. . . .

En vacaciones los niños tienen muchas oportunidades de formar parte de diferentes grupos de niños o clubes. Mira con ellos cuáles existen, a qué se dedican, quiénes los integran y qué actividad de todas las que hacen es la que más les llama la atención. Toma en consideración los Niños Exploradores (*Boys Scouts*), las Niñas Guías, los centros de gimnasia, diferentes escuelas (música, teatro, arte, karate, etc.) y los clubes deportivos, entre otros.

Una vez decidan a cuál asistir, ellos deben comprender que asumen un compromiso durante un tiempo. Al final de un primer período y mientras la experiencia está aún fresca, evalúala con cada niño y pregúntale si desea continuar o elegir algo diferente.

●Para variar el juego

Un club hecho por nosotros

Si no encuentran un club que les llame la atención tanto a ti como a tu hijo, organicen ustedes mismos un club con otras familias del vecindario. Programen las actividades que el grupo quiera realizar, incluyendo algunas cosas que tengan algo de desafío para los niños.

Esto implica trabajo adicional, pero les da la oportunidad a padres e hijos de pasar unas vacaciones o por lo menos unos ratos juntos en actividades diferentes de las que hacen durante todo el año.

El compromiso que implica un club

Habla seriamente con tu hijo acerca de lo que comprende la participación: asistencia a reuniones, ciertas metas, gastos (posiblemente de sus ahorros), quizás llevar uniforme, proveer de refrigerios, realizar excursiones, promociones de ventas, camping, desempeñar cargos y recibir ayuda de los padres.

Una vez que se una a un grupo, la familia debe apoyarlo en todo y asumir responsabilidades como liderazgo, compañía para vigilar y transporte.

Al calcular los gastos causados por formar parte de un club, puede ofrecérsele al niño oficio suplementario como lavar el carro, ayudar a arreglar el jardín, contribuir a ordenar el garaje, ayudar a lavar la entrada, etc., y que de esta forma pueda ganarse el dinero de las cuotas o el necesario para los gastos del grupo.

Esta actividad estimula la interacción social

6 +

¿Quién eres?
. . . .

Reúne varios niños. Haz salir a uno de los niños de la habitación y elige un oficio cualquiera. Discute con el resto de los niños las características de ese oficio, aportándoles precisiones. Señala entre todos al niño que representará el oficio escogido. Haz regresar al niño que había salido, el cual formulará una serie de preguntas al que representa el oficio. Este último le responderá, dando en caso necesario algunas indicaciones. Cuando no sea capaz de responder una pregunta, le ayudará otro de los niños. El que está adivinando tiene derecho a quince preguntas para intentar hallar la respuesta. Por ejemplo:

— *Buenos días. ¿Vende usted algo?*
— *Sí, señora. En mi establecimiento.*
— *¿Y compra usted hecho todo lo que vende?*
— *Todo no. Sólo una parte.*
— *¿Utiliza usted harina?*
— *Sí, señora.*
— *¿Es usted panadero?*
— *No, señora.*
— *¿A su establecimiento van sólo a comprar o a comer también?*
— *Sí, señora.*
— *¿Es de dulce o es de sal lo que comen?*
— *Se puede de ambas formas.*
— *¿Es dueño de un restaurante?*
— *Sí, señora.*

Esta actividad estimula el conocimiento de los oficios y activa la capacidad de deducción

6 +

Noche de luces
. . . .

Sugiéreles a los niños que inviten a sus vecinos a que lleven cada uno una linterna.

En un jardín sin obstáculos peligrosos, practiquen juegos familiares con los haces de luz, tales como el escondite y la lleva.

Luego, si desean practicar juegos que se llevan a cabo corriendo, coloquen las linternas sobre una mesa de jardín para iluminar el terreno.

●Para variar el juego

Reflejos de luz

Esta actividad se hace de día. Utiliza un objeto brillante, por ejemplo, una sartén nueva, y muéstrales a los niños cómo atrapar un rayo de luz y dirigirlo a donde quieran.

La persona que tenga el reflector puede tratar de tocar a otra con la luz, y, si lo logra, éste tendrá que hacer una *penitencia*, como por ejemplo, saltar en un pie, contar hasta diez, recitar el alfabeto o dar una voltereta.

Luego será su turno con el reflector.

Esta actividad estimula y promueve la recreación

6 +

Cómo germinan los fríjoles

Selecciona un frasco de vidrio con boca ancha; puede ser en el que viene la mermelada, la mayonesa o el café. Le viertes agua y luego tomas una pequeña cantidad, no muy gruesa, de algodón y la colocas de *tapa*. El algodón debe apenas tocar el agua, debe mantenerse en contacto pero sin que se humedezca mucho. Tomas un fríjol, lo lavas y lo colocas encima del algodón. El fríjol poco a poco comienza a germinar; además de ser emocionante ver cada uno de sus pasos, los puedes ir pintando. Si colocas varios frascos con fríjoles, será maravilloso seguir la *carrera* del que crezca más rápido. *(Figura No. 6).*

Figura No. 6

●Para variar el juego

— Esto mismo lo puedes hacer con arvejas, lentejas o garbanzos.

— Coloca una papa dentro de un frasco de vidrio con agua y verás cómo con el transcurrir de los días comienza a germinar y a echar raíces.

— Consíguete un manojo de zanahorias con sus hojas, córtalas dejando tan sólo dos o tres centímetros de zanahoria y colócalas en un platón plano con agua. Al cabo de unos días tendrás un *bosque de zanahorias.*

— También podrás ver el proceso de crecimiento de las plantas de flores si te consigues unos bulbos grandes (amarilis, por ejemplo).

Cuenten los días que pasan antes de la germinación y midan luego el crecimiento de la planta cada día. Traten de adivinar el día en que abrirá la primera flor.

Esta actividad estimula el interés por la naturaleza

6 +

¿En qué nos parecemos?

Distribuye a los niños por parejas (preferiblemente parejas de niños y parejas de niñas). Dales tres minutos para descubrir el mayor número posible de similitudes entre ellos. Los ganadores serán los que hayan encontrado el mayor número. Ejemplo:

Los dos tenemos los ojos castaños, a los dos se nos ha caído un diente, llevamos medias blancas, zapatos con cordones, tenemos un arañazo en la rodilla, una costra en el codo, etc.

●Para variar el juego

Puedes hacer lo mismo pero encontrando diferencias u opuestos.

Esta actividad estimula la socialización, permitiendo descubrir diferencias a partir de la propia imagen

6 +

¡A la una, a las dos y a las tres!

Si está lloviendo y no podemos salir y además los niños han estado por mucho tiempo sentados, organiza una carrera dentro de la casa.

Escoge un color; verde, por ejemplo.

Especifica los cuartos que harán parte de la pista de carreras y la secuencia que debe seguirse (trata de incluir todos los cuartos, más los *closets* y los baños). Los competidores deben pasar rápidamente de cuarto en cuarto tocando un objeto verde.

Si sólo hay un competidor, debe contar los objetos verdes que encuentre; si hay dos o más, el ganador será el que toque primero un objeto verde en cada una de las áreas designadas y regrese al punto de partida.

●Para variar el juego

Carrera con vasos desechables

Cada participante dispone de un vaso desechable que no sea de papel parafinado.

Luego coloca el vaso boca abajo y dibuja en la base una cara y un cuerpo. Coloca una tabla grande de cortar carne o un cartón resistente inclinado, con poco declive.

Pon una canica debajo de cada vaso y déjalo deslizarse desde la parte superior de la pendiente.

Hagan competencias luego de adquirir la práctica y cambia el declive para llevar a cabo carreras rápidas o lentas. *(Figura No. 7)*.

Al aire libre

Denle una vuelta a la manzana o, si viven en las afueras, caminen un trecho de ida y vuelta al borde de la carretera.

Escojan algunas metas para carreras, tales como un poste de luz, un árbol, una señal de tránsito o la vía de acceso a un garaje. La ruta de la carrera nunca debe cruzar una calle, una vía de acceso a un garaje ni la carretera.

Concede una ventaja adecuada según la edad de cada cual, aclamen al ganador. Sigan la ronda de carreras con metas diferentes.

Estas mismas carreras se pueden hacer:

— En bicicleta.
— En patines.
— En patineta.
— Competencia de carritos.
— De barquitos de papel en el agua.

Nota: Es duro perder, pero también hay que celebrarlo. Especialmente después de una derrota apabullante, felicita a los jugadores por las cosas que hicieron bien.

Los campeones no siempre ganan, así que hay que celebrar *el espíritu deportivo* en todas partes.

Esta actividad estimula el espíritu de competencia dentro de un ambiente constructivo

Figura No. 7

7 +

Así soy yo
· ·

Consigue varios trozos o un rollo de papel periódico (edad media, por ejemplo), marcadores, tijeras,
pegante y papel de desecho.

Puedes realizar este juego con tu hijo o con varios
niños a un mismo tiempo. Organiza el número de
personas que haya por parejas. Dale a cada uno un
pedazo de papel del tamaño del cuerpo. Se trata de
hacer un retrato de sí mismo, pero de tamaño natural.

Se le pide a uno de los miembros de la pareja que
se acueste en el suelo sobre el papel, mientras el otro
participante dibuja la silueta del primero; luego al
contrario, de tal manera que cada uno quede con la
suya. Después cada niño debe *rellenar* su propia
silueta adornándola o dibujándola de manera que sea
muy característica de su propia personalidad. Por
ejemplo si le gusta usar gorra, si siempre tiene las
manos entre los bolsillos, si lleva lentes, etc.

Al final cada participante relata una pequeña historia de su personaje.

●**Para variar el juego**

Puedes pedirles que dibujen a su compañero o a un
personaje que les guste y realicen la misma actividad
que describimos arriba.

*Esta actividad estimula el conocimiento de sí
mismo y la reafirmación de su identidad*

· · · · · · · · · · · · · ·

Capítulo III

Area de la motricidad

···

Desplazarse libremente por el mundo

A medida que avanza el desarrollo físico general del niño, su capacidad de respuesta motora se amplía igualmente, determinada tanto por su maduración física, como por la oportunidad que le hemos dado de practicar diversas actividades como gatear, caminar, correr, saltar. Así por ejemplo, al caminar y trepar escaleras se observa una mejor coordinación. Los pasos se hacen más largos, más derechos y más rápidos. Esto quiere decir que el niño va haciendo, mediante progresos continuos, más completos y ágiles sus movimientos.

Los notables avances que el niño va realizando en materia de capacidad motora van acompañados generalmente de un deseo real de experimentar. Parece querer ensayar nuevas destrezas y capacidades por puro placer; en este punto el juego se vuelve de vital importancia como vehículo para afrontar el mundo que le rodea, haciéndose cada vez más competente.

Aspectos como el esquema corporal constituyen elementos claves en el desarrollo psicomotor del niño; nos detendremos un poco en este punto.

El esquema corporal es la imagen que nosotros construimos de nuestro propio cuerpo, en relación con el espacio y los objetos que nos rodean.

La adquisición del esquema corporal le facilita al niño la formación del concepto de sí mismo, ya que al saber quién es él, sabe cómo es su cuerpo y cómo es el de los demás, lo que pueden hacer o no hacer con él, cómo están dispuestas las partes del mismo y cómo es el cuerpo de un niño y de una niña.

Al llegar a este reconocimiento, el niño realiza juicios acerca de sus habilidades y capacidades, lo que concluirá en la adquisición del concepto de sí mismo, así como en el reforzamiento de la autoestima.

Su adquisición es, entonces, una necesidad primordial para una adecuada construcción de su personalidad y en este aspecto el juego es un elemento muy eficaz para establecer una estrecha relación entre el cuerpo del niño y su entorno. Con respecto a su desarrollo durante la primera infancia es importante trabajar dimensiones como la motricidad fina: los músculos de la mano; la coordinación de los movimientos, y la motricidad gruesa: todos los músculos. A través de ello el niño consigue una adecuada concentración corporal que le permitirá comunicarse y conocer mejor el medio que le rodea. El cuerpo es siempre expresivo, por eso es importante vivir cada una de las partes del mismo para tomar conciencia de sí y del universo. Por medio del juego el niño puede conocer el espacio en el que se encuentra situado, tener una percepción y control de su propio cuerpo, equilibrio postural, lateralidad bien definida, independencia de los segmentos en relación con el tronco y en relación con los otros, etc. El baile constituye también otro medio para que el niño pueda expresar sus propias emociones; a través del ritmo y el movimiento se favorecen así la participación, el goce, la plenitud, la relajación, la expresividad y la sensibilidad. El dibujo y la pintura le dan la oportunidad al niño de expresar sus sentimientos y pensamientos, así como incrementar la capacidad perceptiva. El niño encuentra en el dibujo el amigo fiel al que recurre cuando las palabras resultan insuficientes.

El dibujo es un diálogo recíproco entre el niño y el mundo perceptible, lo convierte en organizador de formas e ideas, y un productor de imágenes que habla por sí solo. De ahí la importancia de la expresión gráfica que permite a los adultos conocer su mundo interior así como las variaciones.

En el desarrollo físico del niño a través de sus trazos en el papel, pasa de unas pocas marcas indefinidas a un garabateo ya controlado.

. . . .

1 +

Pintemos con las manos
. . . .

Existe un gusto especial que experimentan los niños entre el primer año y los 2 años y medio, con esta actividad. Les agrada la experiencia de manipular pinturas y aun más el resultado de sus creaciones artísticas.

● Para variar el juego

Pintando con crema de afeitar

La crema de afeitar tiene la ventaja de que no los ensucia, para aquellos a quienes les molesta embadurnarse; es suave y puede incluso tener un olor agradable.

Si deseas hacerlo más atractivo para el niño, puedes echar anilinas de colores que se usan para la comida.

Debes tener cuidado, ya que pueden refregarse los ojos e irritarlos, lo cual exige permanente supervisión. Al final es importante lavarlos muy bien para evitar una posible irritación en la piel.

Crema de afeitar caliente

La crema caliente o tibia se sentirá más suave y ligera, lo cual hace la actividad más atractiva.

Para calentar la crema, coloca el frasco en agua bien caliente por unos minutos. Por ningún motivo vayas a poner el recipiente original de la crema sobre la estufa.

Pintando en las ventanas con los dedos

Otra textura y lugar para experimentar, es cuando pintan los niños en las ventanas. El vidrio permite que después de seca la pintura, puedan hacer otros dibujos encima de lo que ya han hecho, lo cual da diferentes texturas y por lo tanto mezclas de colores y formas.

Esto mismo lo pueden hacer en un espejo. Puedes ayudarle a que trate de pintar sus ojos, sus cejas, nariz, pelo, etc. Se divierten mucho con esta actividad.

Esta actividad no sólo estimula la motricidad fina, sino también la creativa y la noción causa-efecto

2 +

Balaca de elefante

Corta tiras de cartulina para hacer las balacas (o vinchas) de elefante, cosiéndolas en los extremos con cosedora. Procura que el tamaño del aro de cartulina sea apropiado para la cabeza del niño. Luego consíguete unas bolsas grandes de papel en las que empacan el pan o a veces el mercado, y pinta en ellas unas orejas de elefante. Recórtalas y cóselas a los lados de la balaca. Enseguida pégale en la parte del frente de la banda, un tubo de cartón en el cual viene enrollado el papel de cocina, imitando la nariz del elefante.

Una vez realizada esta actividad háblale a los niños sobre elefantes, el circo, Africa, etc., mientras que ellos pintan con témpera gris la balaca. *(Figura No. 8)*.

Figura No. 8

Después de haberse secado la pintura invítalos a que las usen pretendiendo ser elefantes.

Si tienes hijos o amiguitos mayores, deja que ellos recorten y cosan los materiales.

●Para variar el juego

El circo

Recorta de revistas caras de tigres, micos, leones, payasos, etc. Abreles huecos a los lados y les pasas un caucho delgado o un hilo, y con la de elefante que ya hicieron, pueden completar un circo.

Esta actividad estimula la motricidad fina y el conocimiento de los animales

2 +

Corona de Navidad

Corta dos círculos por niño, y recorta uno de ellos en el centro, formando un aro. A este último le pegarán pastas de comer (conchitas, fideos, etc.), después que se seque ayúdale al niño a darle color con témperas roja y verde, y déjenlo secar.

Luego toma una fotografía instantánea del niño, o busca a ver si tiene una reciente, y luego pégala en el centro de la cartulina circular. Después, haciéndole marco, le colocas el aro que adornaron con la pasta alrededor.

Una vez esté seco, ten listos 25 centímetros de cinta roja y con ella hacen un lazo y lo colocan en la parte inferior de la corona.

Finalmente ábranle un hueco pequeño a la parte superior de la corona y pasen por allí una cuerda para colgar la corona.

●Para variar el juego

Los mismos círculos y aros de cartulina los puedes decorar con palos de palta (bajalenguas), conchas de mar, arena, escarcha, mina de lápices de colores que has tajado, y para el Día del Amor y la Amistad, con corazones rojos que dibujas y luego recortas.

Esta actividad estimula el desarrollo de la motricidad fina

2 +

Juegos caminando

Una vez que tu niño ha aprendido a caminar, hay muchas actividades que incrementan su coordinación. Muéstrale cómo caminar de diferentes formas: de lado, de para atrás, empinado, como un caballo, como un mico, etc. Marcha, camina en puntillas o arrastrando los pies.

Sosteniendo sus brazos enfrente tuyo y los pies sobre los tuyos, camina hacia adelante y hacia atrás.

Caminen rápido y despacio. Estimula al niño para que salte, brinque y corra.

Háblale mientras camina, con diferentes tonos y ritmos de voz, ej. voz lenta, rápida, como de bebé, como lo haría un león, etc.

Esta actividad desarrolla la motricidad gruesa

2 +

El arca de Noé

En un pliego de papel pinta el bosquejo del arca de Noé. Consíguete el siguiente material: recortes de revistas con motivos de animales, tijeras, pegante blanco, palitos delgados (para dientes o pasabocas), pintura marrón, papel ordinario en diferentes tonos de azul, pinceles. Coloca el dibujo en el piso o encima de una mesa grande donde te quede más cómodo. Pon los materiales alrededor de la mesa para que el acceso a ellos sea más fácil. Luego indícale a los niños cómo rellenar el bosquejo del barco pegando los palitos bien juntos. Deja que se seque. Enseguida píntenlos con la pintura marrón. Después los niños pueden rasgar pedazos de papel azul y pegarlos alrededor del arca simulando agua y cielo (pueden pegar también bolitas de algodón o papel higiénico). Pídele al niño que busque en las revistas animales y recórtenlos, para así poder pegar los recortes de animales encima del arca. Los pescados pueden ir en el agua, los pájaros en el cielo. Deja que se sequen y luego cuélguenlo como adorno de su cuarto.

Esta actividad estimula la motricidad fina

2 +

Juguemos pegando
. . . .

Es esencial tener en cuenta que al escoger esta actividad, lo más importante para el niño es el proceso y no el objetivo final, pues muy seguramente se van a encontrar más interesados en cortar el papel y en el pegante, que en la misma actividad de pegar.

Les encanta ver cómo se quedan pegados sus deditos, la tela que se va formando en sus manos con el pegante y cómo igualmente se pegan los papeles entre sí. Forzarlos a que los papeles se peguen en el papel y más en un lugar específico, y no en sus dedos, puede causar una gran frustración en el niño.

Dale las instrucciones iniciales, pero si ves que el niño no se interesa en la figura u objetivo final, no lo presiones. Su experiencia de textura, causa-efecto, es suficiente.

Tampoco limites su actividad dándole palitos o palas para no ensuciarse o colocarle directamente la goma donde debe ir pegado el papel.

pegado la cara del recorte contra la hoja, o que los colocan patas arriba, etc.

El pegado es un proceso realmente complejo que se facilita si tú lo tomas como un simple juego de embadurnarse y en el cual los niños tienen libertad de hacerlo como les parece, y no asumiendo tú la mayor parte de la actividad.

Darles palos o palitas de madera para que se peguen y no ensucien, tiene resultados muy limitados.

Si pones la goma sobre el papel directamente, el valor del trabajo para los niños está perdido.

●Para variar el juego

Poco a poco puedes ir introduciendo otros materiales de más difícil manejo como lana, hilo, conchitas de pasta, etc.

Esta actividad estimula el desarrollo de la motricidad fina

2 +

Casas de juguete

Las casas de juguete son sitios para dar rienda suelta a la imaginación; en ella podrán los niños jugar al papá y a la mamá, a la oficina; ser un buen escondite, un fuerte, un barco, un sitio privado, la sede de un club, etc. Es importante que en la construcción de estas casas participen tanto los padres como los niños. Será más importante para tu hijo si él ayudó a construirla, no importa cuan pequeño sea. Puedes ayudarle desde una simple casa hecha con asientos y una tela grande que sirva de techo, hasta una bien elaborada para colocar en un árbol.

●Para variar el juego

La casa pequeña

Utiliza un árbol o una cerca como apoyo o respaldo firme y arma una casa de cartón a nivel del suelo. Usa cajas viejas de cartón en buen estado y una cinta adhesiva resistente. Esta estructura resultará tempo-ral ya que no resistirá mucho tiempo expuesta al sol, al agua y lógicamente al trajín de entrar y salir permanentemente.

Si piensan dejarla varios días es mejor que la forren con una tela de plástico.

La casa plataforma

Para los niños entre los dos y los cuatro años está este tipo de casa que se levanta apenas 30 centímetros del suelo. Utiliza madera contrachapada para hacer una plataforma con patas de 30 centímetros. Emplea una sábana para el techo, ésta dará una excelente altura si la pasas por la rama de un árbol y las puntas las amarras a la plataforma. Además de poder utilizarse para juegos, les servirá para saltar desde ella y para almorzar o descansar en ella.

El segundo piso

Empleando la plataforma anterior como primer piso, ubica una segunda plataforma en una rama más alta, más o menos a un metro, en el árbol.

Esta actividad estimula la motricidad gruesa

2 +

El túnel de la pelota
. . . .

Necesitas tres o cuatro personas para este juego. Hermanos mayores, amigos y vecinos disfrutarán jugando con ustedes. Pídeles a los niños que se paren en línea con sus piernas abiertas. Una persona podrá ubicarse al final del túnel para recibir la pelota. Muéstrale al niño cómo hacer rodar la bola a través del túnel de piernas hacia el que está listo para recibirla. Continúa jugando hasta que el niño pueda rodar la pelota sin ayuda. Deja al niño tener un turno para que sea él quien reciba la pelota. *(Figura No. 9)*.

●Para variar el juego

Si no consigues amigos para hacer el túnel, utiliza asientos; el niño envía la pelota y tú la recibes.

Esta actividad estimula el desarrollo de la coordinación ojo-mano

Figura No. 9

75

2 +

El oso saltarín

Extiende una toalla grande en el piso; coloca el oso (u otro muñeco) en el centro de la toalla y dile que el oso va a saltar.

Pídele al niño que sostenga una punta de la toalla, mientras tú tienes la otra, diciendo "Uno, dos, uiii", y levantas la toalla en el aire haciendo brincar el muñeco. Practícalo hasta que el niño entienda que cuando dices "uiii" debe levantar la toalla. Es importante mantener el oso dentro de la toalla.

Después de varias veces, mueve la toalla cada vez más rápido para que el muñeco brinque cada vez más alto. Mandar hacia arriba el oso y al mismo tiempo tratar de que caiga en la toalla, ayuda mucho a la coordinación ojo-mano.

●Para variar el juego

Una vez se domine el juego, ve colocándole a la toalla más muñecos.

Esta actividad estimula el desarrollo de la coordinación ojo-mano

3 +

Huevos de dinosaurio

Haz en una cartulina esquemas de huevos con medidas de 18 x 11 centímetros para que los niños delineen; dale a cada niño un pedazo de papel para que calquen y luego coloreen el huevo. Mientras llevan a cabo esta actividad, háblales de los dinosaurios, dónde vivieron, cómo se incuban y nacen los animales ovíparos.

Luego consigue un dibujo o lámina de dinosaurio que a la vez puedan colorear. En el centro de cada huevo corta una *X*, pega la lámina de dinosaurio a un palo de colombina y hazlo pasar con lámina y todo a través de la *X* explicándoles a los niños que así era como salían del huevo los dinosaurios y que en general de esta manera lo hacen todas las aves.

●Para variar el juego

Ten plastilina y pon a los niños a hacer dinosaurios y huevos.

Esta actividad estimula la motricidad fina y el conocimiento sobre los ovíparos

3 +

Una telaraña para hacer el día de las brujas

Consigue una madeja de lana negra y partiendo de un objeto grande que se encuentre en el centro del área de juego (silla, escritorio) empieza a tejer una telaraña con los niños, la cual pasará por patas de asientos, por encima de mesas, detrás de lámparas, a distintas alturas y siempre volviendo al centro como si fuera una telaraña.

Luego haz que los niños pasen de uno en uno por esa telaraña sin quedarse enredados.

●Para variar el juego

— Cuelga arañas de plástico, insectos de cartón o también de plástico y pídeles a los niños que los atrapen.

— Recorta una pequeña mosca, pégala en un sitio escondido y diles que busquen una mosca *para el almuerzo*.

Esta actividad estimula la motricidad gruesa

3 +

Construyamos un automóvil

Dale al niño varias cajas de cartón pequeñas y aparte dibuja dos caras (derecha e izquierda) de un automóvil, de tamaño proporcional al de las cajas. Recórtalas y haz que el niño coloree los dibujos, les pinte puertas, ventanas, pasajeros, etc., y luego se los coloque a las cajas, asegurándose de que en cada lado vaya el dibujo correspondiente.

Adelante le pueden pintar las luces, la ventana y los limpiabrisas.

●Para variar el juego

— Con dos palos de colombina y cuatro tapas de gaseosa, le pueden colocar las ruedas.

— En vez de hacer un solo dibujo y pegar, puedes hacer la puerta, el timón, el pasajero, etc., recortarlos e irlos pegando en la caja.

— Con más cartulina pueden dibujar las calles y hacer árboles y semáforos.

Esta actividad estimula la motricidad fina

3 +

Movamos nuestras manitos

Desmontar y amontonar

Todo aquello que sea cilíndrico, como los vasos, las cacerolas, los bloques, se prestan para ser montados y desmontados y también para amontonar. Reúne todos estos elementos en un solo lado y llama al niño y propónle y muéstrale cómo sirven estos objetos para encajarlos los unos con los otros, para ser desmontados, para ser amontonados, etc. Déjalo también que su imaginación lo deje actuar sobre ellos, verás cómo se inventará otras formas de utilizarlos.

●**Para variar el juego**

Armemos rompecabezas

El encaje de fichas tiene su ciencia, no es sólo buscarle el lugar adecuado, sino también el cuadrarlas en su sitio. Por eso el niño espera ser premiado cuando logra encajar una pieza con otra. Recuerda que para el niño volver a armar un rompecabezas una y otra vez es un juego divertidísimo, así que no se lo quites si insiste en hacerlo más de dos veces.

Contorneando y repasando imágenes

Con una cartulina, un dibujo sobre ella y un cordón, enseñarás al niño a contornear las figuras; en un principio llévale las manos hasta que veas que él es capaz de colocar el cordón delimitando la silueta del dibujo. *(Figura No. 10)*.

Tú eres un artista

Proporciónale lápiz y papel, ya que en él podrá plasmar sus primeros garabatos. Cuando consideres conveniente suminístrale acuarelas, témperas y pinceles para que con el color de estos recree su creatividad artística, al mismo tiempo que tú le refuerzas por medio de alabanzas estas actividades. Ten presente colocarlo en un sitio donde no importe que el niño al pintar manche, para que así tanto tú como él se sientan libres.

El manejo de estas actividades le refuerzan no sólo la motricidad fina, sino también su creatividad

Figura No. 10

78

3 +

Pintemos con diferentes objetos

Pintando con brocha o pincel

Pintar con pincel da lugar a una gran ensuciada y requiere una supervisión muy cercana, pero es muy divertido para los niños de esta edad y por lo tanto bien merece hacer el esfuerzo. (Ver anexo: *Para minimizar la ensuciada*).

●Para variar el juego

Pintando con un envase de desodorante roll-on

Una vez puedas sacar la bola del envase haciéndole presión en los bordes, se lava muy bien y se vierte la témpera del color que hayan escogido. Se le coloca nuevamente la bola y de esta forma queda convertido en un maravilloso marcador que le permitirá al niño pintar con gran control. Hagan juntos una colección de témperas embasadas en roll-on, pintando cada frasco con el color que llevan dentro, o etiquetándolos con adhesivos previamente coloreados por el niño.

Pintando con tiza

Proporciónales papel grueso, ordinario, de colores. Humedece la tiza con agua e invítalos a que elaboren dibujo libre.

Pintura al lavado

Con la ayuda de esponja, moja suficientemente la totalidad de la hoja de papel. Prepara mezclas de la pintura en polvo con agua, dándoles consistencia semejante a la de la leche. Luego echa sobre el papel pequeñas manchas de colores mediante el pincel e inclina la hoja en todos los sentidos.

Podrás darte cuenta de la fusión de los colores en el agua y los tonos que estos dan, ya que el color aparecerá más intenso en el punto en que hayas colocado el pincel que en los lugares en que se ha disuelto en el agua.

El salpicado

Dibuja sobre trozos de cartón o cartulina formas muy sencillas de cosas bien conocidas: frutas, nubes, casa, Sol, estrellas, perro, gato, etc. Luego recórtalas y pégalas sobre una hoja grande de papel. Prepara en tarritos mezclas de pintura en polvo y agua, dándoles la consistencia como de crema de leche líquida. Consigue un cepillo de dientes viejo, empápalo en los tarritos y luego lo frotas contra una peinilla sobre los dibujos que quieres que tengan ese color. Una vez termines, debes esperar a que la pintura esté seca para retirar la hoja de papel. Te darás cuenta de que las partes que estaban cubiertas por los cartones quedaron en blanco.

Pintura con plantilla

Al igual que en el caso anterior, dibuja formas muy sencillas sobre cartón, recórtalas luego a unos tres centímetros alrededor de los motivos. Después, recorta también el interior de las plantillas. Para eso, dobla el cartón por la mitad y da un tijeretazo en el interior del motivo, en un punto cualquiera. Mete la punta de la tijera en ese corte y recorta el contorno del dibujo. Coloca las plantillas ya recortadas sobre una hoja de papel blanca. Prepara las pinturas y dale con el pincel golpecitos verticales sobre el papel en el interior de la plantilla. Repite el proceso con todas las plantillas. Espera a que la pintura esté seca para retirar los cartones.

Haciendo impresiones simétricas

Dobla una hoja de papel por la mitad y vierte grandes manchas de pintura sobre una de las mitades de la hoja, incluido el borde del pliegue. Dobla la segunda mitad sobre la primera. Presiona ambas hojas con las manos. Despliega las hojas y tendrás impresiones simétricas.

Pintura con pitillo

Con el pincel debes echar sobre la hoja gotas de pintura y luego sopla a través de los pitillos sobre las gotas, a fin de que se unan entre sí, se mezclen, etc. El efecto es más nítido todavía con tintas de colores.

*Esta actividad estimula la motricidad
fina y la creatividad*

3 +

La cola del dinosaurio

. . . .

Dibuja una circunferencia en el suelo.

Todos los jugadores deberán colocarse de pie sobre ella o por fuera, pero muy cerca, exceptuando a alguien que hace de dinosaurio y se ubica en el centro del círculo.

Pon un pedazo de cuerda de 30 centímetros de longitud (la cola del dinosaurio) dentro del círculo. Los demás niños deben tratar de robar la cola sin dejarse alcanzar del dinosaurio, si éste toca a alguien dentro del círculo el jugador queda *congelado* en la posición exacta en que fue tocado hasta que empiece la próxima ronda.

(Estas posiciones son con frecuencia difíciles de mantener, pues la persona puede quedar congelada al inclinarse a tomar la cuerda).

La primera persona que tome la cuerda se convierte en el siguiente dinosaurio.

● **Para variar el juego**

Para hacerlo más difícil se le pueden vendar los ojos al dinosaurio.

Esta actividad estimula la motricidad gruesa

3 +

Patos en un dos por tres

Consigue un pliego de papel blanco y haz que los niños coloquen su mano izquierda (el que sea zurdo, la derecha) sobre el papel y ayúdales a delinearla. Dibujen varias. Asegúrate de que el dedo pulgar lo coloquen bien separado de los demás. Luego pídeles que al dedo pulgar le pinten un *pico* naranja y un ojo rojo a los dos lados del papel. Más adelante la recortarán, ayúdales dirigiéndolos para que lo hagan lo mejor posible. Una vez recortadas las pueden colorear, pegarles pedazos de papel de colores, escarcha.

●Para variar el juego
Móvil de patos

Abreles un hueco pequeño a los patos entre el pulgar (cabeza del pato) y el índice (primera pluma) y atraviesa un hilo. Haz que hagan esto mismo con todos los que han elaborado y consígueles un pedazo de madera de donde colgarán los patos y quedará un lindo móvil.

Esta actividad estimula el desarrollo de la motricidad fina

3 +

Un señor bomba

Consíguete unas bombas de inflar y tenlas listas.

En un pliego de cartón dibuja varios óvalos de la cara, unos ojos, narices, bocas, brazos, piernas, pies y manos, todos del tamaño correspondiente a la cabeza y a la bomba que inflaste.

Solicítales que te ayuden a recortar cada una de las partes y luego entrégale un juego a cada niño pidiéndole que arme su propio *señor,* pegando cada una de sus partes.

A los más grandecitos, pídeles que ellos mismos dibujen las partes del cuerpo.

●Para variar el juego

Elaboren todos los accesorios que le quieran añadir al *señor,* hilos o lanas de colores como pelo, cinturones, corbatas, botones, zapatos, etc.

Esta actividad estimula la identificación de las partes del cuerpo

4 +

Dramatización de poemas

Escribe en una cartelera algunos poemas sencillos como *Simón el bobito, La pobre viejecita, Pastorcita* (fábulas de Rafael Pombo), etc. Luego léeselos señalando cada palabra que vas pronunciando, pídele a los niños que te ayuden a leerla.

Al mismo tiempo que van leyéndolo, solicítale a un voluntario que actúe el poema.

●Para variar el juego

Pídele a los niños que ilustren en el papel una escena que les haya llamado la atención.

Esta expresión estimula la expresión corporal

4 +

Árbol de Navidad con cajas de huevos

Toma una caja de huevos, de cartón, y recorta las copitas donde van los huevos, pega junto con los niños la primera copita a un centímetro de la punta de una cartulina, inmediatamente debajo pega dos, en la siguiente línea tres, enseguida cuatro y así sucesivamente (en forma de triángulo).

Al final les deberán sobrar dos copitas con las cuales formarán el tronco del árbol colocándolas en la parte inferior, una debajo de la otra.

Aplica escarcha sobre todo el árbol para darle colorido navideño.

●Para variar el juego

— Si no tienes copitas de huevos, puedes utilizar huellas de manos o de pies de los niños, las cuales primero se las ayudas a delinear y luego recortan y las colocan en forma de árbol.

— También lo puedes hacer con sellos.

Esta actividad estimula la motricidad fina a la vez que pueden ir aprendiendo sobre números

4 +

Dibuja conmigo un lindo paisaje
. . . .

Dale al niño una hoja de papel, un lápiz, colores y una goma. Haz que el niño dibuje motivos familiares como: casa, árbol, flor, nube, sol, etc., pero diciéndole el lugar que debe ocupar cada elemento.

Ejemplo: *Dibuja una casa en el centro de la hoja. Traza un camino desde la puerta de la casa hasta la parte de abajo del papel y dibuja tres flores al borde del camino. Ahora en la parte de abajo, hacia la izquierda, dibuja un gatico y en la parte de arriba, pero del lado derecho, haz un pájaro.* Después dile: *Pinta ahora una nube grande por encima de la casa ocultando la parte de abajo del sol. Dibuja un árbol justo en el borde izquierdo de la mitad de la hoja,* etc.

Ve dando las informaciones poco a poco, proporcionando al niño el tiempo suficiente para dibujar lo que has dicho. Después pídele que coloree el dibujo, utilizando los colores que él quiera. Si son varios niños, discutan en grupo la interpretación que cada uno le dio a las instrucciones.

●Para variar el juego

Deja que el niño, después, haga un dibujo libre y te comente dónde se ubica cada una de las cosas que pintó. Luego podrá recortar cada objeto y cambiar las veces que quiera su ubicación.

Esta actividad estimula la ubicación en el espacio

4 +

Mamá, ¿qué nos das?
. . . .

Para este juego necesitamos dos o más niños.

Traza en el suelo dos rayas separadas por unos cuatro metros. Sitúa a los niños uno al lado del otro sobre las rayas, y colócate de espaldas a ellos en la otra raya de enfrente. Cada niño, por turno, hace la pregunta siguiente: "Mamá, qué nos das?". Tú puedes elegir entre las siguientes respuestas:

— Un paso de gigante (una gran zancada).
— Un paso de hormiga (colocar un pie
delante del otro)
— Un salto de pulga (un salto pequeño
con los pies juntos).
— Un paso de cangrejo (dar un paso atrás).
— Un sol (girar sobre sí misma).

Debes mantenerte vigilante y tratar de dosificar sus indicaciones para no desfavorecer a ningún jugador. El ganador será quien llegue primero a la línea donde tú te encuentras. *(Figura No. 11)*.

●Para variar el juego

Puedes utilizar este juego a la hora de la cena cuando no quieran llegar rápidamente a la mesa, desde allí les vas dando las órdenes.

Esta actividad estimula el desarrollo de la motricidad gruesa

Figura No. 11

4 +

Pégale a la cola de la serpiente
. . . .

Formas un círculo con los niños.

En el centro irán cuatro (tres si son pocos), unidos con las manos sobre los hombros del que está delante, representando la serpiente: el primero es la cabeza, el segundo y el tercero el cuerpo, y el último la cola.

Los jugadores deben alcanzar con la pelota la cola de la serpiente, mientras la cabeza trata de impedirlo defendiéndola con las manos.

Quien acierta en golpear la cola toma su puesto, la cola avanza un puesto convirtiéndose en cuerpo, el primero del cuerpo pasa a ser cabeza y la cabeza pasa al círculo exterior.

●Para variar el juego

Vecinos a correr

Todos los jugadores se colocan en círculo, en cuyo centro se halla otro jugador con una pelota; él la lanza a uno del círculo, que debe agarrarla al vuelo. Sus dos vecinos deben correr por el exterior del círculo, uno por la derecha y otro por la izquierda, tratando de alcanzar su propio puesto antes que el otro. Quien llegue último pierde y ocupa el puesto del lanzador en la mitad del círculo.

Esta actividad estimula la motricidad gruesa y la recreación

4 +

El robot está loco
. . . .

Coloca al niño enfrente tuyo, distanciado un metro y medio, y dale órdenes de movimiento que él debe obedecer: la mano derecha y el pie izquierdo, la oreja izquierda con la mano derecha, etc.

Si estás jugando en grupo, ve eliminando a los que no cumplen las órdenes.

El juego parecerá bastante fácil cuando se trate de disociar movimientos con diversas partes del cuerpo. Pero se volverá mucho más difícil cuando ambos brazos o ambas piernas tengan que ejecutar movimientos diferentes.

Comienza con movimientos sencillos y uno por uno. Luego los vas complicando.

Esta actividad estimula la coordinación de los movimientos, la lateralidad, y la atención

4 +

La papa caliente
. . . .

Consigue un radio, préndelo y sienta a todos los niños en círculo con una papa, una canica y una pelota, las cuales se irán pasando hasta que cese la música. El niño que tenga la papa cuando hayas apagado el radio, irá saliendo.

El juego continúa hasta que todos los niños, excepto el ganador, hayan quedado eliminados.

●Para variar el juego

No te quedes sin asiento

Cuenta el número de niños que haya y coloca un asiento menos de los que sean, uno al lado del otro y uno mirando para un lado y otro para el otro.

Enciende la música y los niños comenzarán a caminar alrededor de ellos.

En cualquier momento la apagas y todos deberán sentarse inmediatamente.

El que se quede sin asiento irá saliendo. Quita un asiento y continúa siempre con uno menos.

Esta actividad estimula el desarrollo de la motricidad gruesa

4 +

Alcanzando el tesoro
. . . .

Escoge una golosina como tesoro. Haz un círculo con los niños y coloca en el centro uno que va a ser el guardián del tesoro, y que simulará estar dormido; a una señal todos los niños se acercan hacia el tesoro caminando o brincando, según lo hayan convenido.

El niño que está en el centro, alza de repente la cabeza y todos deberán permanecer quietos como estatuas. El que se mueva pasa a cuidar el tesoro. El juego continúa hasta que alguno logre coger el tesoro.

●Para variar el juego

Los niños hacen el círculo y designan a otro para que se sitúe en el centro y haga el papel de oso; los que están en la rueda le preguntan : *¿De dónde vienes oso?* Y el oso contesta: *A comer corderos gordos.* Los niños salen a correr y el oso a cogerlos. La otra variante es un juego muy conocido que tiene el mismo esquema del anterior, pero el que está en el centro hace el papel de gato y los de afuera son ratones. A la señal el gato grita: *A que te agarro ratón,* y los ratones a su vez responden: *A que no gato ladrón.* Y sale el gato a perseguirlos.

Esta actividad estimula la agilidad y el movimiento

4 +

¿Qué se puede ...?

Puedes realizar este juego con uno o varios niños. Comienza diciéndoles que van a jugar con el cuerpo y que tú vas a hacer una serie de preguntas que ellos van a contestar acompañando las palabras de gestos.

Ahora pregúntales cuáles partes del cuerpo se pueden abrir y cerrar (ojos, boca, manos, dedos, piernas). Qué partes del cuerpo se pueden extender (brazos, dedos, piernas).

Formúlales diversas preguntas de acuerdo con la edad y conocimiento de los niños; si son muy pequeños inicia tú el gesto para que ellos te sigan.

●Para variar el juego

Con los niños más pequeños haz este mismo juego pidiéndoles que respondan.

¿Qué se puede hacer con...?, por ejemplo con la mano, con los dedos, con los pies, etc.

Esta actividad estimula el conocimiento del esquema corporal

4 +

Contornos

Forma con los niños grupos de cuatro, preferiblemente de diversas alturas.

Dibuja en una cartulina el contorno de diferentes figuras geométricas y cuélgala en la pared un poco más alto que hasta donde alcancen los brazos de los niños, haciéndose necesario que estos salten para alcanzar a marcar el dibujo.

Pide a los niños que unten sus dedos de pintura o témpera, elijan un punto del entorno del dibujo, salten y marquen este punto con su dedo manchado.

●Para variar el juego

Puedes cambiar los dibujos por otros un poco más difíciles según la edad.

Esta actividad estimula la coordinación viso-motriz y la motricidad gruesa

4 +

El globo rebelde

Infla varios globos y pídeles a los niños que los golpeen con una sola mano, con la pierna, con la cabeza, utilizando ambas manos, con el hombro. Una vez con el pie y otra con la mano alternadamente.

●**Para variar el juego**

Puedes pedirles que mantengan el globo en el aire únicamente soplando, quien lo deje caer sale del juego.

Esta actividad estimula la coordinación motriz

5 +

¿Qué estás haciendo?

Elabora con los niños una serie de tarjetas con palabras (verbos) que indiquen acciones: correr, bailar, caer, etc. Una vez que tengan un buen número de ellas, uno de los niños elige una tarjeta del montón, la lee para sí (si todavía no sabe leer, léesela tú) y debe realizar la actividad que la palabra indica. El que adivine qué está haciendo se queda con la tarjeta y pasa a actuar. Si no logran adivinar, la tarjeta se coloca bajo el montón y pasa otro a representar la siguiente. Ganará el que más tarjetas tenga.

●**Para variar el juego**

También se pueden escribir frases en las tarjetas. Por ejemplo: *Da palmadas; Da tres brincos; Pon la tarjeta sobre tu cabeza; Apaga la luz; Arrodíllate y luego siéntate.*

Esta actividad estimula el desarrollo de la motricidad gruesa y la capacidad de deducción

5 +

Pasa, pasa, pasa el bastón
. . . .

Para este juego necesitamos como mínimo cinco niños.

Coloca a los niños con las espaldas en el suelo y las piernas levantadas hacia arriba, uno detrás del otro. Al primero le pondrás un bastoncillo de madera en sus pies y este tendrá que pasarlo a los pies del que está detrás de él. El bastoncillo deberá llegar hasta el último pie sin caerse y sin ser tocado por otras partes del cuerpo, sino de la rodilla hacia abajo (o de la rodilla hacia arriba porque están con las piernas levantadas en el aire). Si eso sucede, toca volver a comenzar desde el principio. *(Figura No. 12)*.

●**Para variar el juego**

Para que el juego sea más difícil usa un balón. Si lo quieren todavía más complicado: pasar, esta vez con las manos, pero siempre con las espaldas en el suelo, una taza llena de agua que el primero ha llenado de un balde y el último debe vaciarla en otro balde desocupado que se encuentra al final. Terminan cuando el primer balde se ha desocupado y el segundo ya está lleno.

Esta actividad estimula la motricidad gruesa y fina y el equilibrio

Figura No. 12

5 +

El túnel con sorpresas

Une mesas pequeñas, una detrás de otra, y cúbrelas con sábanas para formar un túnel por entre el cual se puede pasar gateando en la oscuridad.

Habrá una persona que se encargará de colocar objetos extraños en el túnel, hacer sonidos atemorizantes, o agitar por debajo de las sábanas una bolsa con hielo, un plumero o un trapo húmedo.

Esta persona se turnará con los demás.

●Para variar el juego

Enciende después las luces y organiza una carrera utilizando un cronómetro para ver quién atraviesa el túnel más rápidamente.

Esta actividad estimula el desarrollo de la motricidad gruesa

5 +

En un día de viento

Aprovecha un día de viento para invitar a todos los chicos y adultos del vecindario a elevar cometas. Acompañen la actividad con una deliciosa bebida caliente y galletas. Frecuentemente las cometas más baratas son las que mejor se elevan. Se dará un premio a la cometa que más alto vuele, a la mejor cometa hecha en casa y para la que vuele en forma más osada.

●Para variar el juego

¿Por qué vuelan las cometas?

Antes o después de elevar las cometas, cuéntales a los niños por qué vuelan las cometas, por qué necesitan cola y por qué es necesario jalar la cuerda para que ganen altura.

Busca la palabra *cometa* en la enciclopedia.

Esta actividad estimula la recreación y la motricidad

5 +

Correo enlazado

Consigue una cuerda fuerte y lo suficientemente larga como para que cubra la distancia de un cuarto a otro. Utiliza el espaldar de una silla pesada o la manija de la puerta como punto tanto de partida como de llegada y donde la cuerda dará la vuelta. Jala la cuerda para verificar que esté deslizando fácilmente. Amarra de una de las puntas de la cuerda una "bolsa de correo", coloca en ella un dibujo, un mensaje o una galleta envuelta dentro de la bolsa. Jala suavemente la cuerda para hacer llegar el mensaje hasta el otro cuarto. La persona que lo recibe debe enviar prontamente una respuesta. *(Figura No. 13)*.

●Para variar el juego

Correo humano

Sobre la alfombra o el césped, los niños se acuestan bien juntos, boca abajo. *El paquete* (un niño) lo colocan con el estómago puesto en la parte superior de las espaldas y los hombros de los otros. Los niños comienzan a rodar en una dirección tratando de no irse a despegar el uno del otro. *El paquete*, dando tumbos, llegará al otro lado y se convertirá en la cola de ese extremo, en ese momento debe arrancar el primero del extremo opuesto a rodar por encima de los demás y así sucesivamente.

Esta actividad estimula la motricidad
gruesa y la interacción social

Figura No. 13

91

5 +

Grande, pequeño, mediano

Construye tres túneles de diferente tamaño (grande, mediano, pequeño), puedes hacerlos con cajas de cartón, colchonetas, llantas usadas, los asientos de la casa, usando frazadas o sábanas, etc.

Invita al niño, o si hay varios puedes organizar una competencia, para que pasen cada uno de los túneles; tendrán que calcular su paso y por tanto deberán agacharse, inclinarse o pararse, según el tamaño.

●**Para variar el juego**

Pide a los niños que pasen el túnel adoptando diferentes posturas: en cuclillas, de lado, en un solo pie, dando saltos.

Tensar una cuerda de dos metros aproximadamente de dos sillas que sirvan de soporte. A una señal los niños deben pasar por debajo de la cuerda sin tocarla; quien lo haga sale del juego.

Esta actividad estimula la coordinación visomotriz y el manejo del cuerpo en el espacio

5 +

Los ladrones

Prepara una mesa y dos bancos, además de diversos objetos de buen tamaño, poco frágiles y fáciles de cambiar de sitio. Coloca un banco frente a la mesa y el otro encima de ella (elige una banca pequeña de las que se usan para poner los pies). Pon los cuatro o cinco objetos que hayas elegido sobre el banco que se encuentra encima de la mesa. Venda los ojos a uno de los jugadores e instálalo ante los objetos. Sitúa al otro jugador del otro lado de la mesa. El jugador ciego intentará primero subir al banco, luego a la mesa, y finalmente por debajo de la banca dispuesta sobre la mesa sin hacer caer los objetos que hay sobre ella. Esto debe realizarse en un mínimo de tiempo, ayudado por las indicaciones del otro compañero: más arriba, más abajo, hacia un lado, hacia el otro.

●**Para variar el juego**

Puedes hacer el juego con niños más grandes dando órdenes un poco más complejas y tomando dos objetos al tiempo. Por ejemplo: *Pon el salero a la izquierda de la bandeja, los zapatos a la derecha y el libro a la izquierda.*

Esta actividad estimula el desarrollo de la lateralidad

5 +

Tiro al blanco

Improvisa un blanco, colgando de una instalación de bombillo una cuerda con un aro. Haz unos rollitos con papel como si fueran balas. Pídele al niño que tire las balas a través del aro cada vez a mayor distancia.

●Para variar el juego

Para los niños más pequeños es recomendable utilizar balas de espuma.

Esta actividad estimula la coordinación visomotriz

6 +

El recogepinzas

Para comenzar coloca sobre una mesa quince o veinte pinzas para colgar ropa y dos palillos para pinchos. Asegúrate de que las pinzas no estén engarzadas unas con otras.

Divide a los niños que participen en dos grupos. El juego consiste en que cada grupo debe ingeniarse la manera de levantar con los palillos el mayor número de pinzas posible.

●Para variar el juego

Puedes hacer este mismo juego con otros materiales, por ejemplo con puntillas, cartas, etc.

Esta actividad estimula la motricidad

6 +

Dictado de formas

Consigue una cartulina y dibuja un cuadrado, un círculo, un triángulo, un trapecio, un hexágono, un rectángulo y un rombo. Si son varios niños, haz el número de juegos correspondiente. Recórtalos en compañía del (los) niño (s) y luego entrégale a cada uno un juego de formas. Cada uno se ubicará retirado del otro. Enseguida comenzarás a darles las órdenes: *Coloquen el círculo debajo del cuadrado y encima del hexágono. Ahora el rectángulo debajo del trapecio y encima del triángulo.*

●Para variar el juego

Con las mismas figuras podrán armar objetos tales como un árbol (rectángulo y círculo), una casa (un rM y un trapecio), etc.

Estimula el concepto de arriba-abajo, la ubicación en el espacio y facilita el reconocimiento de las figuras geométricas

6 +

¿Cómo lo hace mi gemelo?

· ·

Consigue un espejo grande, una silla, una caja con tapa, algunos objetos de pequeño tamaño, una cinta o un cordón. Coloca la caja y la tapa sobre la silla, además de los objetos que has reunido y que han de caber en la caja. Instala la silla a un metro del espejo y sitúa al niño delante de ella, de perfil con respecto al espejo. Mirándose en éste y viéndose, por lo tanto, actuar al revés, tendrá que colocar los objetos en el interior de la caja, ponerle la tapa y atarla luego con un cordón o una cinta.

Nota: Debido a que este juego exige una gran concentración por parte del niño, es preferible limitar la prueba a unos pocos minutos.

Esta actividad estimula el desarrollo de la coordinación de movimientos y la lateralidad

6 +

Los robapalos

· ·

En un cumpleaños, o en un día que tus hijos tengan invitados a varios amiguitos, puedes organizarles los Robapalos. Consigue diez palos, cinco para cada equipo, y pinten cada grupo de palos de un color diferente.

Una vez formados los equipos, dibuja una línea en el piso o coloca una cuerda estirada.

Cada equipo se sitúa a tres metros de la línea o la cuerda. A 1,50 metros de cada lado de la línea se colocan en línea los palos que pertenecen a cada equipo. El objetivo es robar palos pertenecientes al equipo rival cruzando rápidamente la línea sin dejarse atrapar de un contrario. Ambos equipos juegan al mismo tiempo. El jugador que se deje tocar queda prisionero y debe sentarse en el terreno de los oponentes. Si los jugadores lo desean, pueden pedir una interrupción para cambiar un palo robado por un jugador capturado. El juego debe continuar hasta que un equipo les haya robado todos los palos a sus oponentes o hasta que un equipo haya capturado a todos los jugadores contrarios.

●Para variar el juego

Letras y señales con palos

Uno de los niños comienza el mensaje haciendo una seña o una letra con los palos (por ejemplo, una flecha con una I). Luego viene otro y continúa de tal forma que entre todos confeccionen un letrero, o aun pueden elaborar un mensaje: *Voy a jugar.*

Números y operaciones aritméticas con palos

De igual forma pueden utilizar los palos para hacer números, sumas o restas.

Esta actividad estimula la actividad gruesa

6 +

Grandes escultores

Dale a cada uno de los niños una barra grande de jabón barato y un cuchillo poco afilado. Los motivos de las esculturas pueden mantenerse en secreto (una casa, un animal, una persona) y los demás tratarán de adivinarlos. Las esculturas terminadas pueden servir como decoración del baño. No botes los residuos de jabón; guárdalos haciendo una bolita, esta servirá nuevamente como jabón para la bañera.

Esta actividad requiere supervisión.

●Para variar el juego

Con greda o barro y plastilina también puedes hacer esculturas.

Esta actividad estimula la creatividad y la motricidad fina.

6 +

El camino encantado

En un bonito lugar se dispone un recorrido de obstáculos, realizados con botellas de plástico llenas de arena. Se separa a los niños en equipos de a cinco jugadores. Los otros niños se colocan en fila, al principio del trayecto. Cada uno de ellos elige una canción distinta, poniéndose de acuerdo con el jugador ciego. Decidiendo que representará una dirección determinada. Por ejemplo, materile, derecha; la pastora, izquierda, etc.

El niño de los ojos vendados inicia muy lentamente el camino, dejándose guiar por el otro compañero. Al principio del juego todos tienen cien puntos, pero una botella derribada le quita diez puntos.

Al final del recorrido se contabilizan los puntos restantes.

●Para variar el juego

Escoge un espacio donde los niños puedan desplazarse, ubica en él diferentes obstáculos que pueden ir aumentando en dificultad según la edad de los niños (una banca, un cojín, una colchoneta colocada en forma de túnel).

Invítalos para que imaginen un bosque y simboliza con cada obstáculo un elemento natural; si tienes posibilidad puedes poner letreros a lo largo de la ruta (árbol, cascada, camino peligroso, etc.). Cada uno tiene un puntaje según su dificultad. La carrera consiste en hacer el recorrido completo sin derribar ningún obstáculo. Da la partida uno por uno y a medida que vayan llegando suma los puntos que cada uno alcanzó.

Esta actividad estimula el desplazamiento en el que pone a prueba su motricidad gruesa, así como también agilidad y equilibrio

6 +

A pie, a caballo o en carro
. . . .

Consigue tres bancos, uno por cada jugador. Coloca cada niño frente a un banco, los dos en los extremos y el tercero en la mitad. El director del juego da las órdenes.

A pie: los niños se hacen al lado del banco.
En coche: se sientan normalmente en el banco.
A caballo: los niños se sientan a horcajadas en el banco.

Las órdenes llegan primero despacio a fin de que los niños asimilen las posiciones; después se dan cada vez más de prisa, con objeto de poner a prueba sus reflejos. Se van eliminando los jugadores que ejecutan mal las órdenes recibidas. El equipo ganador es el correspondiente al último jugador.

●Para variar el juego

Puedes realizar este juego con uno o varios niños. Siéntense el uno frente al otro y coloquen las manos sobre la mesa. A la señal cada uno debe decir o *Piedra* o *Papel* o *Tijera* (sólo una a la vez), al tiempo que hace con la mano la señal que corresponde, así: *Piedra: el puño o mano cerrada. Papel: la mano extendida. Tijera: los dedos índice y del corazón, apuntando en forma de V. (Figura No. 14).* El juego consiste en que *Papel* gana a piedra, porque la envuelve; *Piedra* rompe la tijera; *Tijera* recorta papel. De esta manera el jugador que dice primero *Papel,* le gana al que pronuncia *Piedra,* el que dice *Tijera,* le gana al que escoge *Papel,* etc.

Esta actividad estimula los reflejos y pone el cuerpo en movimiento

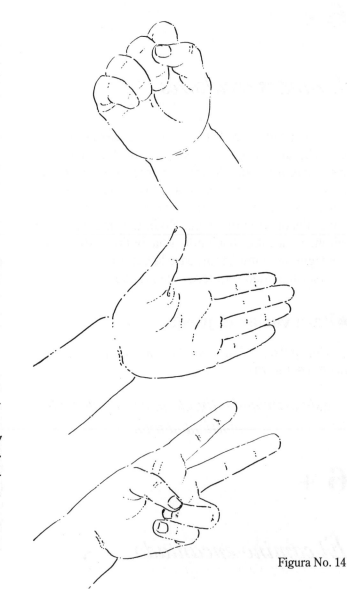

Figura No. 14

7 +

Al revés

. . . .

Pídele al niño que se siente frente a un espejo grande; dale lápiz y papel e invítalo a que haga un dibujo con la condición de que sólo mire el espejo. Puedes empezar con dibujos simples, e ir realizando otros más difíciles.

●**Para variar el juego**

Para niños más grandes ve aumentando la complejidad de los dibujos.

Esta actividad estimula la noción de lateralidad

7 +

El juego de palillos

. . . .

Consigue una caja de palillos para pasabocas de un mismo color y agrégale un solo palillo de color diferente. Agítala y bótala sobre una mesa de manera que queden desordenados. Reúne a los niños alrededor de la mesa y comienza el juego. Cada participante debe tomar el mayor número de palillos sin que ningún otro se mueva. Tan pronto como haga mover el conjunto, pasa el otro. Se empieza utilizando la punta de los dedos, hasta alcanzar el palillo del color. A partir de este momento se puede usar este para liberar los demás y hacerlos rodar.

●**Para variar el juego**

Puedes hacer este mismo juego pero con cartas.
Esta actividad estimula la coordinación visomotriz

7 +

Los niños más altos del mundo

. . . .

Invita a los niños a ser *los niños más altos del mundo* montando en zancos. Si no tienen experiencia es mejor que empiecen con zancos cortos. Entre toda la familia fabriquen unos: se mide al niño desde el suelo hasta el sobaco, y se cortan dos palos resistentes y lisos que tengan treinta centímetros más que la medida obtenida. Fijen los apoyos para los pies a treinta centímetros de los extremos inferiores. Muéstrale al niño cómo caminar con los palos bajo los brazos. Verán lo divertido que es.

●**Para variar el juego**

Relevos

Se dividen en dos grupos, por ejemplo, los de los zancos rojos y los de los zancos azules. Dan la partida y sale uno de cada equipo con un trapo o banderín; al otro lado los esperan sus compañeros de equipo, reciben el banderín y salen los segundos. Y así hasta que se terminen los competidores; ganará el que primero llegue a la última meta.

Desfiles

Pueden organizar comparsas de disfraces y hacer un desfile en zancos por toda la cuadra.

Esta actividad estimula el equilibrio y la motricidad gruesa

7 +

Tu castillo es el mío

Reúne varios niños en un lugar amplio, pídele a cada uno que marque su espacio más o menos a medio metro de distancia entre uno y otro; puede hacerlo con tiza, una pita, una piedrita blanca o un trozo de ladrillo si es en el pavimento.

Explícale que ese lugar que cada uno demarcó es su castillo; el juego consiste en que a una orden tuya (puedes imitar el sonido de las cornetas que anunciaban la llegada del rey), cada uno debe cambiarse de castillo tomando la mano del vecino, quien quede por fuera del sitio marcado sale del juego.

●Para variar el juego

El juego anterior puede llevarse a cabo también pidiendo a cada niño que una vez demarcado su espacio escoja el nombre de un pez, para jugar al *Río revuelto*. Tú eres el pescador y recorres el lugar mencionando a los peces, el jugador nombrado debe apresurarse a colocarse detrás de ti. Cuando el pescador grita *Río revuelto* todos corren a buscar uno de los espacios marcados en el piso. Si tú encuentras un sitio, el pez que queda sin lugar deberá pasar a ser pescador y el juego continúa. Cada participante va a visitar el otro castillo, marcando el camino con una tiza.

Esta actividad estimula el equilibrio y la agilidad en el desplazamiento

7 +

La momia que camina

Reúne a los niños por parejas y dales tres o cuatro rollos de papel higiénico a cada miembro de la pareja.

Di a los otros que deben permanecer inmóviles con los brazos caídos a lo largo del cuerpo. El compañero lo envolverá del tal manera que no se quede viendo nada. Una vez todos estén envueltos se alistan para la competencia; deben llegar a una meta previamente fijada, saltando y guiados por sus parejas. Gana quien llegue con menos partes expuestas.

●Para variar el juego

Puedes realizar una competencia que consiste en desenvolver rápidamente la momia; quien termine primero, desenvolviendo sin rasgar el papel, gana.

Esta actividad estimula el equilibrio y el desplazamiento

Capítulo IV

Area cognoscitiva

• •

A través del conocimiento

A medida que el niño toma conciencia de sí mismo y del medio que lo rodea, va desarrollando su dimensión intelectual.

Como se ha visto, el proceso de aprendizaje depende, entre otros factores, de brindarle al niño las oportunidades para que por medio de las experiencias directas pueda manipular, explorar, experimentar, elegir, igualar, comparar, reconstruir, definir, demostrar, clasificar, agrupar, preguntar, oír de, hablar de. Por eso las primeras estimulaciones, los juguetes y juegos, pueden llegar a acelerar o retardar (si hay carencia de ellos) el ritmo del desarrollo cognoscitivo. *Pensar* encierra actividades mentales ordenadas y desordenadas, al mismo tiempo que describe las cogniciones que tienen lugar, como: el juicio, la elección, la resolución de problemas, la creatividad, la fantasía y los sueños. Así, el pensamiento es un proceso de formación de conceptos. Se debe por ello fomentar el uso de la observación, pues observar es una de

99

las actitudes mentales más importantes porque facilita también el desarrollo de otras habilidades: reconocer detalles, relacionar, comparar y establecer analogías.

Es importante anotar que el niño posee tres sistemas de procesamiento de información: la acción, las imágenes mentales y el lenguaje. Una vez que el niño ha interiorizado el lenguaje como un elemento cognoscitivo, le es posible representar y transformar la experiencia con mayor flexibilidad que antes.

También es de resaltar que el niño no progresa linealmente en su evolución cognoscitiva, sino que lo logra a saltos y con una etapa de consolidación en lo aprendido, lo que significa que necesita dominar una etapa para poder avanzar hacia la siguiente. Esto lo consigue el niño si logra comprender que los objetos tienen una identidad invariable (más allá de la que ellos perciben por la acción que se ejecuta con ellos), para luego aprender que los objetos siguen existiendo después de su contacto visual o táctil (entendiendo que lo que queda por fuera de su campo visual no tiene por qué estar fuera de su mente).

Igualmente es importante estimular, mediante el juego, la curiosidad, que es un impulso y al mismo tiempo un indicador del nivel de la mente en formación, lo que le confiere un papel importante en el desarrollo del pensamiento y en la formación de los intereses cognoscitivos. Las preguntas infantiles de *¿Por qué?, ¿Qué es esto?, ¿Para qué es esto?,* son una manifestación de curiosidad. Entender el contenido de las preguntas de los niños depende del nivel de desarrollo de su mente, de los acontecimientos o actividades que le rodean, y de los estímulos y educación que se le brinden, de allí la importancia de estar al lado del niño en estos años de continuo aprendizaje

en ellos. Se pueden distinguir los siguientes elementos en el funcionamiento de los pensamientos:

1. Las ideas, que son fenómenos mentales que existen después que el objeto ha dejado de estar visualmente presente, pudiendo designar cualquier percepción, ya sea visual, táctil, auditiva, etc.

Gracias a las ideas simples la mente forma muchas otras ideas que ya no representan los objetos que existen realmente.

2. La asociación de ideas, que significa que todas las ideas pueden separarse y volver a unirse nuevamente, o sea que existe un vínculo de unión entre ellas, por medio del cual una idea presenta a la otra.

Como observamos, el pensamiento es una de las características que más influyen en el desarrollo no sólo cognoscitivo del ser humano, sino también en el resto de las áreas de evolución del mismo, por ello varios científicos, entre ellos Jean Piaget, dedicaron parte de su existencia al estudio del pensamiento, dividiendo el mismo en períodos de acuerdo con las edades de los niños. A continuación te haremos una breve explicación acerca de estos.

El primer período lo llamó *sensoriomotor* (0 meses a 2 años). Denominado así porque durante estas etapas vemos cómo el niño centra sus respuestas en lo sensorial (lo táctil, lo auditivo, lo olfativo, lo visual y lo gustativo) enfocándolas al mismo tiempo en lo motor (movimientos musculares).

Se observa cómo al inicio de este período el niño proporciona sus respuestas exclusivamente en beneficio de su propio cuerpo para, con el paso de los meses, ir dándolas también hacia el mundo que le rodea, llegando, a medida que crece, a ser capaz de resolver problemas rudimentarios (como el dejar caer un tarro contra el suelo para ver qué sonido produce este al estrellarse), presentando después respuestas exploratorias ante un objeto para poder así combinar dos o más experiencias adquiridas anteriormente para lograr una meta (como por ejemplo: tomar un banco, trasladarlo hacia el interruptor de la luz, subirse a él y encenderlo).

Período preoperacional (entre los 2 y los 7 años). Los niños pasan del período sensoriomotor al preoperacional, que es cuando construyen ideas estructuradas, ya que el pensamiento preoperacional compara percepciones que se tuvieron hace mucho tiempo, tiene metas abstractas y es útil en el pasado y en lo futuro.

Según Piaget, al finalizar este período el niño pasará al *Período de las operaciones concretas* (7 a 11 años). Decimos que el niño llega a esta etapa cuando logra organizar sus ideas mentales según las operaciones de la lógica simbólica. (Lo que le permite a un niño ser capaz de informar que un objeto es más grande que el otro, que es posible clasificarlo junto con otro, que ha sido tomado de otro, que es igual a otro y que es la suma de varios otros objetos).

Finalmente se llega al *Período de las operaciones formales* (aproximadamente entre los 11 y los 15 años) en el que los niños logran aplicar las abstracciones que son posibles, pero que no necesariamente existen en el mundo real, pudiendo de esta manera los adolescentes enfocar los problemas que tienen el enunciado preparatorio *si esto que es no fuera, entonces,* rompiendo de esta manera las ligas restrictivas que encadenan su pensamiento a su medio.

Si los padres estudiamos y comprendemos con bastante atención esta división por períodos que Jean Piaget, después de años de investigaciones, logró discernir, estaremos más seguros de poder brindarles a nuestros hijos la estimulación constante y adecuada, no sólo en el aspecto cognoscitivo, sino también en las demás áreas que abarcan un desarrollo integral.

Gracias al juego y a los objetos (juguetes), los niños desde sus primeros meses de vida aprenden a poner en práctica y a consolidar cada uno de los períodos anteriormente mencionados.

. . . .

101

1 +

Juegos de pelota

Una pelota en los niños de esta edad significa tenerlos entretenidos y felices por un buen rato. Pueden jugar con ella usando sus manos, sus pies, lanzándola libremente o hacia algo específico, ponerla a rodar, etc. Con la pelota se trabaja muy bien todo lo relacionado con causa-efecto, pues se verá fácilmente que cuando se varía la acción, lo hace también la respuesta.

Figura No. 15

● Para variar el juego

Hay un sin número de actividades para llevar a cabo con la pelota, por ejemplo, siéntense uno enfrente del otro y haz rodar la bola hacia tu niño; luego pídele que te la devuelva rodando. Luego le pides que haga lo mismo con un dedito, luego con el otro, luego con el dorso de la mano y por último con el codo.

Una pelota por entre un tubo

Toma una pelota mediana, estilo una bola de tenis, un pedazo de cartulina enrollada, o un tubo de los que se usan para guardar planos o afiches. Invita al niño para que introduzca la bola por un lado y vea cómo sale por el otro.

Pueden fijarlo para que sea más fácil y poner al final una canasta a la que lleguen las bolas. Sin embargo, sin canasto, al niño le encantará salir corriendo a alcanzar la bola que el acaba de lanzar. Esto a su vez le permitirá determinar que si es más pequeña y pesada, irá más lejos que una más grande y suave.

Canicas entre un tubo

En un tubo plástico y transparente, suficientemente largo como para que el niño lo pueda sostener, introduce junto con él, una por una las canicas y luego tápenlo (puede ser con papel aluminio sostenido por un caucho, en caso de que no consigan una tapa apropiada). El niño, al darle vueltas, verá que podrá manejar el sentido para donde él quiere que vayan las canicas.

1 +

Juegos de balanceo

Consigue una caja de cartón o plástico donde viene el litro de helado (que tenga tapa) o por ejemplo aquellas de lata que traen galletas o avena.

Coloca adentro cosas pequeñas, cascabeles, tapas de gaseosa, etc., que hagan ruido.

Asegura muy bien la tapa. Puedes pegarle dibujos o recortes de revistas y forrarla con *contact* transparente para proteger los dibujos. Déjalo disfrutar haciendo rodar este ruidoso barril que él mismo ha fabricado.

● Para variar el juego

En el comercio venden unas medias veladas que vienen en un envase con forma de huevo, si tienes algún recipiente con esta misma forma te puede servir. Llénalo con plastilina y asegura las dos mitades. Decora el huevo como quieras, puede ser utilizando un marcador de tinta permanente con el cual puedes dibujarle una cara. Cuando le des la vuelta al huevo, este inmediatamente volverá a su posición. Puedes inclusive colocar un cascabel dentro del huevo para producir sonido.

Esta actividad estimula el desarrollo de la noción causa-efecto

2 +

¿Cuál?

. . . .

Siéntate en el piso con tu niño. Consigue tres recipientes. Pon un pequeño juguete debajo de uno de los recipientes mientras el niño ve. Mueve lentamente los recipientes cambiándolos de sitio, asegurándote de que el niño mantenga la mirada en ellos.

Pregúntale ahora debajo de cuál caja se encuentra el juguete. Deja que el niño levante la que él crea. Si ves que el niño no ha entendido, levanta el recipiente correcto y muéstrale el juguete, dejándole ver que los otros no contienen ningún juguete.

Muéstrale la respuesta hasta que él entienda y pueda hacerlo sin ayuda.

Esta actividad estimula la resolución de problemas

2 +

Objetos colgantes

. . . .

Cuelga algunas cosas interesantes del techo con cuerdas. Como posibilidades se pueden considerar pelotas de espuma, balones de inflar, animales de peluche, etc. Ajusta la altura de la cuerda para que los objetos cuelguen justo en el nivel de la cabeza del niño de tal manera que pueda alcanzarlos con su mano y hacer que se muevan hacia todos los lados. Varía los objetos y las alturas.

Esta actividad no sólo estimula la noción causa-efecto, sino que está también desarrollando los músculos del torso y los hombros, a la vez que el equilibrio.

Figura No. 16

● Para variar el juego

Bateando objetos colgantes

Con tubos de cartón donde viene envuelto el papel de la cocina, o el papel aluminio, bateen los objetos colgantes.

Divirtiéndose con una polea

Aprovechando un día de campo o simplemente en tu jardín o en el parque, elabora una polea con los siguientes elementos: busca un árbol que tenga una rama apropiada y pasa una cuerda sobre ella.

En un extremo de la cuerda amarra un canasto; en el otro colócate tú. Indícale cómo moviendo una de las cuerdas el canasto subirá.

Indúcelo para que meta en él juguetes, pelotas, etcétera, y muéstrale que cuando está arriba y sueltas la cuerda, caerá inmediatamente al suelo. *(Figura No. 16).*

Nota de seguridad

Asegúrate de que las cuerdas no sean lo suficientemente largas como para que el niño corra el peligro de enredarse.

Colgar bombas de inflar no es una buena idea porque cuando se revientan dejan pedazos peligrosos que los niños se pueden comer y producir ahogo.

Esta actividad estimula el desarrollo de la noción causa-efecto

2 +

Burbuja en un tubo
. . . .

Utiliza un metro de tubo flexible de plástico transparente, tapa uno de los extremos con un corcho, llénalo con agua teñida anteriormente con colorantes para cocina no tóxicos. Déjale aproximadamente una pulgada de aire para formar una burbuja. Asegura con otro corcho la punta del tubo. Dile al niño que te ayude en la elaboración de éste y luego verás cómo disfrutará viendo la burbuja que sube y baja cuando alguna de las puntas es levantada.

● Para variar el juego

Canicas dentro de un tubo de aceite

Reemplaza el agua que vertiste en el tubo por aceite, e introdúcele una o dos canicas. Tapa las dos puntas igualmente con corchos. El aceite hará que el movimiento de la canica sea lento.

Aceite y agua en una botella

Consigue una botella fuerte y transparente, pueden ser aquellas donde viene el champú de niños; quítale los letreros y llena más o menos la tercera parte con agua, preferiblemente teñida antes con colores no tóxicos. Llena el resto de la botella con aceite mineral o aceite para bebé (de preferencia este último que no tiene color). Tapa la botella de forma que quede segura; al agitarla, o simplemente al moverla de un lado a otro, se producirán lindas olas y pequeñas burbujas que flotarán sobre ellas. Esta actividad tiende además a ser relajante.

Esta actividad estimula el desarrollo de la noción causa-efecto

2 +

Parejas

. . . .

Recorta varias fotografías de revistas o dibuja objetos familiares para el niño, en parejas, por ejemplo dos árboles, dos casas, dos nubes, dos señores, etc.

Barájalas y colócalas boca abajo en una mesa.

Cada niño tendrá la oportunidad de levantar dos cartas, si salen parejas tendrá otra oportunidad, si no, tiene el turno el que sigue. El que consiga más parejas ganará.

Esta actividad estimula la atención y la concentración

2 +

Para aprender a contar

. . . .

Dos: los niños de esta edad no están listos para contar o para reconocer números, pero ellos entienden el concepto básico de "dos".

Ayúdale a tu niño a comenzar a entender este concepto indicando con el dedo todo aquello que venga en pares o en que haya *dos* de cada uno:

dos zapatos
dos medias
dos manos
dos pies
dos orejas

En tu conversación usa la palabra *dos* cada vez que sea posible: *mira esas dos flores*. Dale al niño cosas de a dos: *aquí hay dos cucharas,* o *aquí hay dos juguetes*.

●**Para variar el juego**

Poco a poco vas aumentando y pasando a *tres, cuatro*, etc.

Esta actividad estimula la enseñanza de pares

2 +

En la bolsa

. . . .

Consigue una bolsa grande, luego pídele al niño que vaya depositando objetos dentro de la bolsa.

Dile *gracias* cada vez que lo haga.

Selecciona objetos que el niño pueda alcanzar y llevar por sí mismo, tales como su juguete favorito, una frazada, una toalla, el cepillo de dientes, una cuchara de palo de la cocina, etc.

Este juego favorece el desarrollo de los procesos de pensamiento. Los niños oyen la palabra, hacen una asociación y luego encuentran el objeto.

Esta actividad desarrolla habilidades en solución de problemas

2 +

Piedras de colores

Consigue dos cajas de cartón donde vienen los huevos y divídelas en tres partes cada una, obteniendo de cada parte cuatro recipientes. Pinten cada una de las seis partes de un color distinto. Luego salgan al jardín o al parque y busquen 24 piedras, las cuales pintarán de los mismos colores de las partes. Sólo podrán repetir el mismo color en cuatro piedras. Una vez estén secas, las vas a esconder en la arenera (o en un balde grande con arena) y luego invítalos a que las busquen. A medida que las vayan encontrando, las deberán ir colocando en su caja de color correspondiente. Si sólo estás con uno o dos niños, con una sola caja dividida en tres, pintada en tres colores y doce piedras será suficiente.

●Para variar el juego

Con niños mayores puedes hacer carreras a llenar los recipientes y no sólo pintar las cajas y las piedras de un solo color, sino con rayas, punticos o mezclas de dos a tres colores.

Esta actividad estimula la discriminación y asociación de colores

3 +

Juguemos a la pesca

Dibuja con los niños varios pescados y que los pinten de diferentes colores.

A estos péguenles letras que ya conozcan y luego colócales un clip (gancho) en la cabeza.

Ponlos en un balde plástico con papel picado o confeti para que simule el agua y queden escondidos. Los niños arrojarán por turnos la caña de mentiras consistente en un palo, un nailon y un imán puesto en la punta de éste.

El clip se pegará al imán logrando *pescar* así uno de los pescados. Le preguntarás qué color y qué letra tiene ese pescado.

●Para variar el juego

A los pescados les puedes colocar números, y para niños más grandecitos, palabras.

Esta actividad estimula el conocimiento de los colores y las letras

3 +

Los colores del arco iris

En una cartulina dibuja un arco iris grande y fíjalo al final de una mesa larga.

En el extremo opuesto de la mesa coloca un recipiente lleno de tapas de gaseosa.

Haz que los niños, por turnos, lancen las tapas hacia el arco iris tratando de acertar en el color que tú les hayas indicado.

●**Para variar el juego**

Invéntate un sistema de puntaje y llévales un marcador.

Esta actividad estimula el conocimiento de los colores, la coordinación ojo-mano y su percepción de distancia

3 +

Ángel triangular

Dibuja en una cartulina dos triángulos de 10 centímetros de base, otro de 18 centímetros de altura y 15 centímetros de base, ayúdales a recortarlos y luego a pegarlos en medio pliego de cartulina. El triángulo más grande irá con la base hacia abajo formando el cuerpo del ángel y los otros dos, cada uno a lado y lado, formando las alas. Luego haz un círculo de cinco centímetros y diles a los niños que te ayuden a pegarlo en la parte de arriba del triángulo, formando la cabeza.

Los niños deberán pintarle los ojos, nariz y boca. El pelo lo podrán hacer pegándole algodón o esponjilla de cocina. Más adelante pueden colorear con témperas el resto del ángel y colocarle escarcha. *(Figura No. 17)*.

●**Para variar el juego**

Si están en época navideña pueden usarlo también para el árbol de Navidad o para decorar el salón.

Esta actividad estimula el conocimiento de las formas

4 +

Juguemos con Rin Rin Renacuajo
. . . .

Sienta a los niños haciendo una rueda y consigue la mayor cantidad de objetos que se mencionan en *Rin-Rin Renacuajo* (fábula de Rafael Pombo) como sombrero, corbata, guitarra, jarra, ratón, gato, camisa,

algodón, tiple, etc., y los pones en un montón en el centro de la rueda.

Primero les lees la fábula para que tan sólo la escuchen con atención.

Ya la segunda vez, cada vez que nombres un objeto que se encuentre en el centro, los niños deberán tomarlo rápidamente, levantarlo sobre su cabeza y luego volverlo a poner en el centro por si se vuelve a repetir esa palabra.

Ganará quien haya tomado más objetos en el momento correcto.

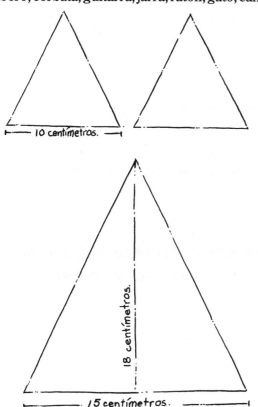

Figura No. 17

●Para variar el juego

Utiliza cualquier otro cuento y haz lo mismo, cuantas más veces se repitan las palabras en el cuento, más divertido será.

Esta actividad estimula la atención y la respuesta a las órdenes verbales

4 +

Elementos de la Tierra

Organiza con los niños un círculo y solicita un voluntario para que se siente en el centro con una pelota. El jugador del centro lanza a cualquiera la pelota y al mismo tiempo dice: *Que vuela*, y empieza a contar hasta diez. El jugador que recibe la pelota debe mencionar el nombre de un animal que vuele, antes que el otro termine de contar. *Que nada...*

No deben repetirse los nombres de los animales. Los que no responden o *lo hacen incorrectamente* van saliendo del juego.

Esta actividad estimula la rapidez y agilidad mental

4 +

Qué terco es el burrito

Pide a los niños que se pongan a cuatro patas y dales órdenes encaminadas a hacerles cambiar la posición de su cuerpo. Los niños deben interpretar esas órdenes al revés.

Si tú dices, burrito camina hacia adelante, el burro deberá hacerlo hacia atrás; a la derecha, lo hará a la izquierda, etc.

●Para variar el juego

Hazlo solicitando otras posiciones; por ejemplo las manos arriba, los niños deberán dejarlas abajo; los ojos abiertos, los cerrarán, etc.

Esta actividad estimula el desarrollo de la noción física de contrario

4 +

Adivina qué es

La mímica sustituye el lenguaje hablado y por lo tanto las palabras deben ser representadas.

Este juego puedes realizarlo con grupos grandes o pequeños. Escoge primero los temas, puede ser una película, una canción, un programa de televisión, cuentos infantiles. Establece algunos códigos, como por ejemplo, el número de palabras lo señalan con los dedos, la extensión de la frase abriendo o cerrando los brazos, etc.

Se divide el grupo en dos equipos, al azar se elige el que va a realizar la representación, mientras el otro debe tratar de adivinar de qué se trata; únicamente se tienen tres opciones, si al cabo de éstas no ha logrado acertar, pasa el otro equipo.

●Para variar el juego

Con niños pequeños puedes hacerlo individualmente, invitándolo a que te cuente alguna actividad de su vida cotidiana, mientras tú intentas adivinar de qué se trata.

Esta actividad estimula la expresión y comprensión del lenguaje, la imaginación y la memoria

4 +

Juguemos a contar

Cuántas galletas te comes

Coloca en el plato del niño una por una las galletas al mismo tiempo que vas contando, sólo cuando él haya terminado de comerse la galleta, colocarás la otra sobre el plato y siempre preguntarás qué número de galletas se ha comido.

●Para variar el juego

Cuántos botones tiene tu camisa

Deja que el niño vaya señalando y contando el número de botones que tiene su camisa, luego pídele que siga con los botones de su saco, después con los de la blusa de mamá, con los de la camisa de papá, etc. Este es un juego excelente cuando se encuentran en una sala de espera, donde no hay juguetes con que distraerse.

Cuántos peldaños vamos subiendo o bajando

Contar con el niño el número de peldaños de una escalera, convierte este ejercicio en algo agradable; a esta edad se le puede pedir que los suba de uno en uno, de dos en dos o de tres en tres, esto de acuerdo con el tamaño de los peldaños.

Alcánzame cinco servilletas

El colocar la mesa se puede convertir en una tarea fascinante, ya que todos los utensilios que se sitúan sobre ella deben ser puestos de acuerdo con el número de personas que se vayan a sentar.

Así podrás decirle al niño: *por favor, alcánzame cinco servilletas, cinco tenedores, cinco cuchillos, cinco platos,* etc.

Verás entonces cómo no sólo se ve obligado a contar la cantidad de objetos, sino que también estará reafirmando la adquisición de un número específico (en este caso el número cinco).

Visitemos el zoológico

En este juego puedes poner en marcha la imaginación del niño, sólo dile:

Bueno, tenemos una cartulina y vamos a dibujar sobre ella los animales del zoológico, dejando entre uno y otro cierto número de espacios; ahora dime, qué animal quieres que dibujemos y cuántos espacios dejamos entre él y el otro.

Para darte un ejemplo: dibuja sobre ella un león, dejando tres espacios; un tigre, dejando cuatro espacios; un elefante, dejando cinco espacios; un caballo, dejando seis espacios; una foca, dejando siete espacios, y así sucesivamente, habrás diseñado un juego de mesa.

Cuando hayas terminado tiraremos los dados y veremos quién llega hasta el león primero, y ese será el ganador.

Los ojos del conejo

Como en el juego anterior, dibuja sobre una cartulina un conejo, al cual le sobresalgan los ojos, teniendo en cuenta que estos queden en medio de la cartulina, pintando alrededor de esta los cuadros, haciendo que el final de ellos lleguen hasta los ojos del animal. Como ves este es un juego que implica mucho trabajo, pues al echar los dados tendrán que contar y moverse de acuerdo con el número que los dados les indiquen. El ganador será aquel que llegue primero a los ojos del conejo.

Esta actividad estimula la concentración y la habilidad de contar en el niño

4 +

Busquemos la otra mitad

. . . .

Buscando la otra mitad

Con una manzana partida por la mitad en su presencia, podemos enseñar al niño las sumatorias de 1/2 y 1/2. Al partirla, le das a él una parte diciéndole: *Esta es la mitad*, encontremos la otra mitad y así serán una entera. Este juego lo puedes hacer con todo aquello que se pueda dividir en dos.

●**Para variar el juego**

Consigue una más

Siéntate ante las fichas de colores y agarra en tus manos una de color rojo, y dile al niño: *Yo tengo una ficha de color rojo, ahora tú dame otra ficha del mismo color para que sean dos fichas.* Repite este juego cuantas veces sea necesario para que el niño capte el significado de 1+1 = 2.

Esta actividad estimula la adquisición de conceptos matemáticos

4 +

Diviértete con la pasta

. . . .

Invéntale juegos con la pasta sin cocinar para desarrollar coordinación, o sencillamente para divertirse.

Puedes pegarla (los fetuccine, las conchitas, etc.) con goma sobre papel e ir haciendo diferentes formas como cuadrados, triángulos, casas, árboles y luego pintarlas con témperas.

●**Para variar el juego**

Puedes enhebrar los macarrones para confeccionar collares y pulseras.

La pasta viene de diferentes formas, tamaños y colores por variedad, por lo cual son útiles para aprender los colores y a contar.

Esta actividad estimula el desarrollo, la noción de forma, tamaño, color y la motricidad fina

4 +

Una historia loca

. . . .

Inventa o busca un cuento que se sitúe en una época precisa e introduce datos que no correspondan ante los cuales los niños deben esforzarse por descubrir. Por ejemplo: *Había una vez una familia cavernícola almorzando. Esta actividad fue interrumpida por un ruido que provenía del cielo. Levantaron los ojos en esa dirección y vieron un helicóptero.*

●Para variar el juego

Pídele al niño que te cuente una historia que suceda en una época que él conozca o haya oído hablar, cuantos más detalles te dé, mejor.

Esta actividad estimula la familiarización con las nociones de pasado-presente-futuro

5 +

Adivinemos "Veo-veo"

. . . .

Veo - veo: en un libro de cuentos, de ilustraciones grandes y bien detalladas, toma una de ellas y descríbesela bien al niño, luego dile: *Adivina de cuál de todos estos dibujos es del que te he estado hablando.* Si el niño no acierta ayúdalo tú a señalarlo, al mismo tiempo que le explicas por qué es precisamente ese dibujo. Si llega a acertar, felicítalo y busca otra ilustración un poco más complicada para que él adivine cuál es.

●Para variar el juego

Mira-mira

Cuando te encuentres con el niño en alguna sala de espera, utiliza los objetos que se hallan allí presentes para realizar adivinanzas, como por ejemplo: *Mira - mira. hay una cosa de color negro, que tiene patas mas no brazos, y que tú usas para sentarte. ¿Qué será? (La silla).* En caso de que el niño acierte, felicítalo y continúa con otro objeto que se encuentre dentro de la sala de espera.

Qué será-qué será

Cuando salgan de viaje por un tiempo largo, bien sea en automóvil o en avión, pueden tu hijo y tú inventar adivinanzas no sólo acerca de los objetos que estén mirando, sino sobre todos aquellos que se utilizan diariamente y por lo tanto le son bien familiares al niño. Por ejemplo:
Es un cepillo, tiene cerdas, un mango y se agarra con las manos, mas no es para el pelo. ¿Para qué se utilizará? La respuesta será para lavarse los dientes. Como ves es bien fácil inventarse adivinanzas, sólo hay que dejar correr la imaginación.

Esta actividad estimula la capacidad de deducción y escucha del niño

5 +

La gallina ciega

....

Señala el área de juego mediante grandes cajas de cartón. Elige a uno de los niños para ser la gallina ciega y véndale los ojos. Los demás correrán por la zona delimitada por las cajas. El jugador de los ojos vendados tiene que atrapar a uno de ellos y tratar de reconocerlo por la cara y la ropa. Tan pronto como identifique a uno, éste toma su lugar y el juego continúa.

●**Para variar el juego**

Con los niños pequeños puedes hacer un pájaro de papel y colgarlo con una cuerda del techo. El niño que tiene vendados los ojos debe tratar de tocarlo con un palo, mientras tú jalando la pita lo subes y lo bajas. Los otros niños pueden orientarlo a través de *está caliente,* si está cerca; *está frío, está tibio.*

Esta actividad estimula los reflejos y el sentido de observación

5 +

Sí es o no es

....

Establece una lista de objetos, algunos de los cuales se encuentran en la habitación, ya sean visibles o no, y otros que no están en ella.

Nombra uno tras otro los objetos que figuran en tu lista. El primer niño que vea uno de ellos, o crea saber dónde se encuentra, levanta la mano.

El director del juego le pregunta si ha descubierto de verdad el objeto, y si ello es así le anota cinco puntos. Si se ha equivocado le resta uno e interroga al siguiente niño que ha levantado la mano. Si éste ha encontrado el objeto ganará cuatro puntos, y si se equivoca perderá dos. Si el objeto no está en la habitación y los niños lo han adivinado, ninguno ganará puntos.

Esta actividad estimula el poder de deducción

5 +

El rey dice que...

. . . .

Consigue una caja de cartón, puede ser de zapatos, tamaño adulto, para cada niño si vas a jugar con varios. Separa las cajas entre sí poco más o menos ochenta centímetros, y coloca un jugador al lado de cada caja. Cada orden que les des, deber ir precedida por *El rey dice que...*, las que no precedan esta frase no deberán ser cumplidas. Ejemplos: *El rey dice que: entren en la caja; El rey dice que: salgan de la caja; Den vueltas alrededor de la caja* (esta orden no debe ser obedecida); *El rey dice que: adentro; El rey dice que: al lado; Al interior* (no se obedece); *El rey dice que: un pie en el interior; El otro pie fuera* (no se obedece), etc. Utiliza los términos delante, detrás, en el interior, en el exterior, al lado, dar vueltas alrededor, entrar, salir, dentro, fuera, etc.

Nota: el juego no debe durar más de quince minutos puesto que éste requiere una atención constante y un esfuerzo físico importante.

●Para variar el juego

Cuando desees que los niños te colaboren con alguna actividad doméstica puedes utilizar este juego diciendo: *El rey dice que tiendan la cama; El rey dice que recojan los juguetes; El rey dice que echen la ropa sucia en el canasto...*

Esta actividad estimula la atención

6 +

Reconstruyendo el viaje

. . . .

Reconstruyendo el viaje

Aprovechemos que a los niños les encanta volverse a recrear por medio de la fantasía y hagamos que reconstruyan el paseo que se realizó el domingo pasado al campo. Toma una revista, entrégasela al niño y pídele que recorte para ti las fotografías que se asemejen al campo, a las vacas, a los caballos, en fin, a todo aquello que se le parezca a lo que observó ese día de paseo. Préstale una cartulina y pegante para que él pueda pegarlas y así armar su propio paisaje.

●Para variar el juego

Hagamos el circo

Facilítale al niño revistas, tijeras, pegante y cartulina para que pueda recortar y pegar sobre la cartulina todas aquellas fotografías que se relacionen con el circo y deja que él mismo diseñe su propio circo. Para dibujar la carpa del mismo entrégale colores para que él la haga. Este mismo juego lo puede realizar con el supermercado, la droguería, la estación de bomberos, en fin, con todo aquello que se le ocurra al niño.

Esta actividad estimula la memoria y la creatividad en el niño

6 +

A la cuenta de...

A los niños más grandecitos les encanta este juego porque pone a prueba su habilidad y rapidez.

Forma un círculo con los niños y elige con ellos varias acciones, por ejemplo, estar de pie, sacar la lengua, saludar a alguien, sentarse. Ve asignando a cada una de ellas un número y pídele a los niños que traten de grabar cada una de las actividades con su correspondiente número. Cuando todos lo hayan repetido, comienza a decir los números desordenadamente para que cada jugador ejecute la orden que corresponde. El jugador que se equivoque sale del juego, hasta que quede uno que será el ganador.

●Para variar el juego

El mismo ejercicio anterior pero sin enumerar, sólo ve diciendo una serie de órdenes, al comienzo muy despacio pero luego rápidamente. Por ejemplo: *toca tu mano izquierda con el dedo derecho; la oreja izquierda con el codo derecho; toca tres cosas verdes que encuentres; mira dos personas de cabello rubio,* etc.

*Esta actividad estimula la atención
y concentración*

6 +

Metro y medio

Traza en el suelo una raya con cinta adhesiva y consigue objetos varios muy distintos los unos de los otros, un metro, y un metro de papel de color.

Coloca los objetos a diferentes distancias de la raya trazada en el piso. Recorta en el papel de color una tira de cinco centímetros de ancho y un metro de largo y ponla en el suelo, paralelamente a la raya. Propón distancias a cada uno de los niños. Por ejemplo: metro y medio. Para calcular la distancia el niño se servirá de la tira de papel (por simple observación, ya no está permitido tocar nada). Una vez que dé su respuesta habrá que comprobarla por medio de la cinta métrica.

●Para variar el juego

Utilizando la misma raya escoge tres jugadores para que se sitúen en diferentes espacios. Pídele al resto del grupo que calcule a qué distancia se encuentra cada uno de los niños con respecto a la línea.

*Esta actividad estimula la apreciación de
distancias*

6 +

Una cosa no es como las otras

Saca todo el material que compone tu caja de costura (tijeras, carretes, hilos, dedales, cintas, metro) y consigue otros elementos como clavos, puntillas, cucharitas, palos, etc. Coloca todo el material dentro de una caja, sobre una mesa redonda preferiblemente. Los participantes se ubican alrededor de la mesa. Cuando hagas la señal convenida, comienzan a sacar de la caja los objetos que consideren que no se necesitan para coser. Deben trabajar ordenadamente sin revolver los objetos.

Gana quien haya sacado la mayor cantidad de objetos que no pertenecen al costurero.

●Para variar el juego

Puedes hacerlo con otras categorías con los más pequeños, por ejemplo, llenar un canasto con frutas y verduras y separar una de ellas; con prendas de vestir, elementos de aseo, etc.

Esta actividad estimula la capacidad de discriminación

7 +

¿Cuál no es?

Este juego consiste en redactar una lista de seis palabras referentes a objetos, cinco de las cuales tienen una característica en común, la sexta no tiene nada que ver con las anteriores y ésta es la que deben detectar los niños.

Ejemplos

Cuchara, colador, pocillo, tenedor, martillo, cuchillo (martillo).

Calle, avenida, autopista, playa, camino, carretera (playa).

Libro, caneca, cuaderno, lápiz, libreta, goma (caneca).

Sábana, manta, toalla, almohada, colcha, edredón (toalla).

Esta actividad estimula el trabajo de asociación y discriminación

7 +

Mi historia en secuencias

Recorta con los niños, de revistas, elementos de la vida diaria y pégalos en cartulinas para formar pequeñas tarjetas. Preséntale a cada niño un grupo de tarjetas y pídele que haga una historia colocándolas una detrás de otra, en el orden que le parezca acertado. Después, cada uno le contará a los demás su historia con su propia secuencia.

●Para variar el juego

Utilizando las tarjetas del vecino haz tu propia historia y compárala con la que él había hecho. Mira si es posible complementarla con la tuya.

Esta actividad estimula la elección de puntos de referencia para organizar el tiempo y asignar una cronología a los elementos de su vida

7 +

Chas 2

Este juego puedes llevarlo a cabo con varios niños o individualmente. Designa antes que todo, un número cualquiera, para que sea reemplazado por la palabra *chas*. Los múltiplos de ese número también deberán ser sustituidos.

Si por ejemplo el número elegido es 2, a una señal dada los otros niños van contando uno por vez y continuamente. Al que le toque decir 2 o múltiplo de éste deberá reemplazarlo por *chas*, ya que se trata de un número prohibido, dirá entonces *chas*, 3, *chas*, 5, *chas*, 7. El que se equivoque o titubee pierde.

●Para variar el juego

Puedes ir aumentando en complejidad los números y los múltiplos.

Esta actividad estimula la atención y rapidez mental

7 +

Adivina cuánto pesa
. . . .

El peso de un objeto supone una manera de delimitarlo y conocer el juego procede por comparación. Al sobrepasar así el simple objeto, el niño hará descubrimientos acerca de los materiales.

Reúne treinta objetos de tamaño, volumen y peso distintos y una balanza de cocina. Por ejemplo, busca palillos, platos, libro, pluma, salero, etc.

Deja los objetos sobre la mesa al lado de la balanza de cocina. Pesa un primer objeto, dilo a los niños y pídeles que encuentren otro que pese lo mismo. Ganará el niño cuyo peso se aproxime más al del objeto inicial.

●Para variar el juego

Coloca sobre la mesa desordenadamente grupos de objetos de peso similar, por ejemplo 2 ó 3 carros que pesen 1/2 libra, varios libros de 1/4 de libra, etc. Pídele que haga grupos con los objetos de peso similar. Dale la pesa para que lo compruebe.

*Esta actividad estimula
la adquisición de la noción de peso*

. . . .

Capítulo V

Area de la creatividad

Desarrollando un ser creativo

La capacidad creadora puede definirse de muchas maneras: una adecuada habilidad para conseguir ideas nuevas o ver las relaciones existentes entre las cosas, o también como una buena capacidad de fluidez de ideas y flexibilidades en el pensamiento. La creatividad es la base de la cultura, nos da la formación para poseer un sentido crítico, tolerante, flexible y de adaptación de sí mismo y de los demás.

El juego es el lenguaje más apropiado para el desarrollo de la creatividad, pues gracias a él, el niño tiene la posibilidad de hacer sonidos, reproducir imágenes y manejar sus movimientos. La forma de aprender más rápida y efectiva es *hacer*. El aprendizaje, entonces, se transforma en una actividad y el niño se compromete, y en el curso de esta experiencia y de su observación, tiene lugar una comprensión más amplia. Es el hacer lo que torna tan valioso el juego creativo. Esta habilidad, a diferencia de otras áreas, es más fácil desarrollarla en los primeros años, ya que en la infancia se es más receptivo y espontáneo y se muestra una gran inquietud por la exploración.

Nosotros como padres a veces desatendemos el juego creativo, ya que consideramos que nuestra experiencia no va acorde con este tipo de ocupaciones, ni puede aprovecharse. En ocasiones esto puede llegar a ser una ventaja, ya que el niño es quien debe descubrir por sí mismo si su actividad tendrá valor. Lo importante es que le proporcionemos otras oportunidades de expresarse en forma creativa, le demos el espacio necesario para su desarrollo.

Cuando el niño se manifiesta creativamente siente el imperativo de estructurar, dar forma y unificar sus emociones, su conocimiento y sentimientos. Es en este momento cuando su mundo se construye y podemos entender que su expresión no es sólo gráfica sino también de ideas, palabras, movimientos, etc., constituyéndose en su medio de comunicación individual a través del cual puede dar sus propias respuestas a los acontecimientos que recoge en cada nivel de desarrollo. Al seleccionar, interpretar y reformar los elementos, el niño da una parte de sí mismo, por esto los dibujos, las torres de construcción, el drama, el modelado, tienen un significado que se debe interpretar desde la visión del propio niño. Aun cuando nosotros como padres no debemos tener como meta el resultado, sino la vivencia del proceso y su expresión creativa, sí debemos darle al niño las posibilidades para descubrir y buscar las respuestas adecuadas. Esto se consigue si se logra desarrollar la sensibilidad perceptiva en el niño.

Para esto es necesario reconocer en el niño el derecho que tiene de experimentar, ensayar, equivocarse, opinar, discutir y construir un mundo nuevo. Dejémoslo explorar todas las áreas de construcción, pintura, drama, etc. Permitámosle desarrollar sus ideas y hacer contribuciones originales. Además, de esta forma también él mismo irá descubriendo y desarrollando cualquier campo donde tenga interés o una habilidad en particular.

La imaginación es creativa en el carácter, para el niño es natural crear:

Crea *sonidos* (sirenas, pelotas rápidas que zumban), crea *versos* (pequeñas rimas y canciones repetitivas), crea *situaciones para el drama* (jugar a la tienda), crea *modelos* (pasteles de barro), crea *cuentos* (antes de saber leer, puede *leer* en voz alta su propia versión del cuento de un libro). Todas estas actividades y muchas más implican imaginación.

Las actividades que vienen a continuación están diseñadas para estimular al niño a pensar y actuar en forma creativa. La idea es que de estos juegos surja una mayor curiosidad y descubrimiento; un propósito e iniciativa; una calidad mejorada de concentración, y habilidades complementarias a las que nos da la motricidad fina en manipulación y el área cognitiva en lectura y números.

A medida que vamos trabajando, jugando y divirtiéndonos con el niño, su tiempo libre se convertirá en tiempo creativo y satisfactorio; pondrá interés activo en toda la vida que le rodea; ganará una apreciación creciente de la belleza; y tendrá una comprensión más íntima de sí mismo, un conocimiento de sus habilidades y confianza en su propio juicio.

Es importante que tú y los demás adultos incentiven al niño a que haga uso total de su imaginación. Si bien encontramos juguetes muy sofisticados a la venta, debemos conocer el gran valor de los objetos de los que se puede sacar partido por su variedad de usos; por ejemplo el cartón donde vienen empacados los comestibles (la leche, el yogur) puede transformarse en un auto, un bote, un garaje, una aplanadora, etc. El objeto provisional tiene la ventaja de presentar un desafío a la imaginación del niño. Se puede obtener igual diversión de los materiales hechos en casa que con aquellos sumamente costosos.

Así mismo, ahora es muy común ver niños muy pequeños tomar parte en deportes competitivos. Debemos preguntarnos si el valor que el niño obtiene del juego competitivo, que demanda tanto tiempo, energía, conformidad y uniformidad, se gana a expensas de su juego imaginativo y constructivo; descuidar este juego es debilitar la fuerza creativa del niño.

El área creativa en conjunto con las demás áreas permitirá que el niño desarrolle una serie de cualidades que serán valiosos elementos de éxito en su vida. El pensamiento creativo ayuda a resolver problemas por medio de un acercamiento original, y las ideas creativas, si se desarrollan desde la niñez temprana, serán ingredientes de triunfo en cualquier tarea que se emprenda. Las ideas creativas representarán experiencias más interesantes y satisfactorias a lo largo de la vida, aun en la madurez cuando el tiempo de ocio puede convertirse en un placer de realización. Un adulto que tiene ideas originales, la capacidad de expresarse bien y la habilidad de relacionarse con otros, es una persona solicitada, con gran posibilidad de triunfar.

. . . .

2 +

Pintando con arena

Indícale al niño cómo untar goma a un papel, esparciéndola con el mismo frasco de goma o con un pincel. El excedente debe sacarse y devolverlo al frasco.

Aparte, ten un poco de arena y coloréala con tintura de cocina, anilinas (dejando luego evaporar bien el agua), o con polvo de témpera.

Coloca la arena por colores en botellas que tengan uno o varios huecos en su tapa.

Deja que el niño agite y esparza la arena sobre la goma. El exceso de arena se podrá quitar fácilmente sacudiendo el papel.

Permite que los niños pinten con los dedos en esta pasta.

●Para variar el juego

Otro tipo de material puede ser sal coloreada de la misma forma, azúcar, cereal y polvos de bebé.

Esta actividad estimula la creatividad y la motricidad fina

2 +

Los muñecos y el círculo

En el mercado existe una gran cantidad de muñecos de plástico que representan en ocasiones los personajes o animales de las historietas. Como habrás notado, a tu hijo le encanta jugar con ellos, otra manera de hacerlo es enseñarlo a hacer un círculo con ellos (para ello se necesitarán más de cinco figuras). En un principio tú serás quien las colocará de tal forma que configuren un círculo, después de varios intentos verás como tu hijo será capaz de formar el círculo con ellas.

●Para variar el juego
Diseñando con las figuras

Dile al niño, al igual que en el juego anterior, que mire a ver qué más se puede construir con las figuritas; notarás cómo no sólo empleará las figuras, sino que también utilizará los objetos que se encuentren a su alcance para construir cosas que se dan en su imaginación. Observándose que aquí las figuras no sólo construyen, sino que más bien forman parte de una imaginación donde ellos habitan. Es necesario que al finalizar se le pregunte al niño qué realizó y para qué. De esta forma se le motivará a que siga poniendo en marcha su capacidad imaginativa y creativa.

Esta actividad estimulará la capacidad creativa del niño

2 +

Disfracémonos
. . . .

Los disfraces no sólo enriquecen el juego sino que también pueden ser con frecuencia el punto de partida para muchos juegos imaginativos. Por ejemplo, darle al niño un par de garras (coges una caja de huevos y le recortas diez copitas y se las pegas a los nudillos de la mano) puede ser motivación suficiente para que comience a realizar juegos estimulantes de animales (ser un lobo o un tigre feroz). Ya vimos cómo hacer unas garras, ahora unos pies divertidos: se colocan en los pies un viejo par de guantes de plástico y quedarán disfrazados de buzo, foca, o delfín. Para disfraces de payaso, pato u otros pies divertidos, coloca tiras de cartón (de aproximadamente 30,5 x 7,5 centímetros) dentro de un par de medias viejas de papá. Para gigantes, utiliza medias o botas de goma de papá.

●Para variar el juego

A continuación encontrarás sugerencias simples para disfraces que agregan interés y estímulo al juego de los niños. Las ideas son útiles para juegos espontáneos en casa, por lo tanto no son disfraces muy elaborados para fiestas o concursos. La intervención y la creatividad del niño en cada disfraz son indispensables, déjalo que él lleve la iniciativa.

Madre: zapatos de señora, cartera, sombrero, aretes y maquillaje.

Padre: portafolios o maletín, corbata, pipa y zapatos de señor.

Enfermera: un delantal blanco con una cruz roja pintada y un pañuelo blanco en el pelo.

Realeza: corona recortada en un cartón y unida con clips de papel o sujetadores y una manta no muy pesada de capa, un anillo de papel bien grande.

Médico: camisa blanca vieja de papá (mangas cortadas), maletín negro.

Bruja o hada mala: bonete negro o rojo para que parezca peligrosa.

Animal: orejas unidas con elástico alrededor de la cabeza, manta de lana o adornada con pieles puesta sobre los hombros, y cola.

Pirata: cinturón, capa negra, faja, parche en el ojo.

Gitano: aros (anillos de cortina o hechos con alambre), un pañuelo en la cabeza amarrado hacia atrás. Para las niñas un delantal.

Ladrón, bandido: a un trapo se le abren dos huecos para los ojos y se amarra atrás.

Arabe: turbante de toalla, sábana, sandalias.

Persona con uniforme: un par de guantes, cinturón y gorra (recipiente de plástico para helado, se parte por la mitad y se le agrega la mitad también de la tapa para que haga visera). Haz una placa de policía o *sheriff* con papel aluminio y asegúrala en el sombrero o en el cinturón puesto en forma diagonal sobre el hombro.

Bombero: sombrero de plástico para la lluvia, botas e impermeable y un pedazo de manguera vieja.

Indio: plumas colocadas en un cartón acanalado que van alrededor de la cabeza, sandalias con unas cintas que se amarran en cruz en los tobillos, falda corta para las niñas y una camisa vieja a la que le pintas rayas con un marcador.

Esta actividad estimula la creatividad y la recreación

2 +

Juguemos con la arena

Hacer diseños en la arena puede ser increíblemente creativo. Con esta actividad tu pequeño artista puede obtener mucho placer y diversión.

En los cajones de tu cocina el niño seguramente podrá encontrar utensilios que hagan interesantes los diseños en la arena: palas, espátulas, tazas de medir, cortador de piza, moldes de galletas, cernidor, etc.

Muéstrale cómo puede utilizar cada utensilio en el diseño de diferentes cosas en la arena. Si la arena está húmeda, indícale cómo hacer un montículo, pues los diseños se destacarán más. Muéstrale al niño cómo llenar una taza con arena y luego voltéala formando montañas. Haz un hueco en la arena y entierra un utensilio adentro dejando una punta por fuera para no olvidar luego dónde se enterró. Dándole estas indicaciones, él se inspirará para hacer sus propios diseños.

●Para variar el juego

Si no tienes arena o estás lejos de ella, puedes utilizar sal o harina humedeciéndola un poco.

Esta actividad estimula la creatividad

3 +

De paseo en el tren

En el parque o en tu casa con tu hijo y uno o más amiguitos, pídeles que se coloquen uno detrás de otro para hacer un tren, el cual saldrá de paseo por la ciudad; a cada uno de los integrantes les darás por turnos el primer lugar y les dirás que en ese momento ellos son los maquinistas que deberán parar si viene un carro u otro tren (el cual serás tú), a la vez que les pedirás que te cuenten por qué lugar van pasando, de qué colores son las casas y los edificios, etc. Lo importante es que ellos recreen su imaginación y su expresión verbal.

●Para variar el juego

Este juego lo podrás realizar como el anterior, pero en un carro, un bus, un camión, etc.

Esta actividad estimulará la creatividad y la capacidad de expresión en los niños

3 +

A construir

Entrégale al niño un juego de bloques o lego con el que el niño podrá desarrollar su creatividad. Pídele que construya lo que él quiera y que cuando haya finalizado te cuente qué fue lo que realizó; estimúlalo para que con el edificio alto que construyó te invente una historia sobre por qué escogió un edificio, dónde lo vio antes, quiénes habitan allí, si hay perros, columpios, etc. Si construye un avión pídele que te cuente qué hacen los aviones, dónde viajan, etc.

●Para variar el juego

Vamos al parque a construir

En una ida al parque reúne con tu hijo todas las hojas y palillos que encuentren y pídele que te construya algo. Como en el ejercicio anterior estimúlalo para que te relate la historia acerca de lo que construyó, por qué escogió, por ejemplo, hacer la casa del perro, cómo se llama el perro que vive allí, en fin, trata de que con sus propias palabras te narre una historia.

Este juego lo podrás variar proporcionándole al niño los elementos que consideres necesarios para que él pueda construir o diseñar cualquier objeto.

Esta actividad estimula la capacidad creativa en el niño y su facilidad de expresión

3 +

Hagamos graffiti

Esta actividad puede practicarse en paredes, en pisos del patio, en la acera y en entradas de garaje. Consigue un balde pequeño con agua y brochas grandes y pequeñas. No utilices pintura ya que los estragos serán terribles. Comienza haciendo la imagen de una persona, una casa o un árbol. Cuando los niños vean los resultados, pásales las brochas y el agua para que traten de elaborar una pintura tan grande como sea posible antes que el agua se seque y desaparezca. Cuando esto suceda, quedará una superficie limpia para empezar de nuevo. Escribir nombres también es divertido. Los niños grandes pueden escribir mensajes, hacer sumas o jugar "cruz y círculo".

●Para variar el juego

Un camino de tiza

Ayúdale al niño con una tiza a trazar un sendero con flechas en la vía de acceso al garaje, en la acera y, si lo desea, alrededor de la manzana. Se trata de que no sea simplemente una línea recta; es divertido hacer curvas y recovecos. Invita a un amiguito o al hermano mayor para que él luego siga la línea en su bicicleta.

Esta actividad estimula la creatividad y la motricidad fina

3 +

Construyamos un xilófono

Consíguete cinco botellas de gaseosa todas iguales y desocupadas, llénalas de agua, cada una a diferente nivel. Con una pequeña varilla puedes tocar la melodía que quieras. *(Figura No. 18).*

●Para variar el juego

Para obtener una mejor resonancia consíguete una varilla larga que una las botellas.

A cada botella amárrale una cuerda y suspéndelas de un palo de escoba.

Esta actividad estimula la creatividad y la agudeza auditiva

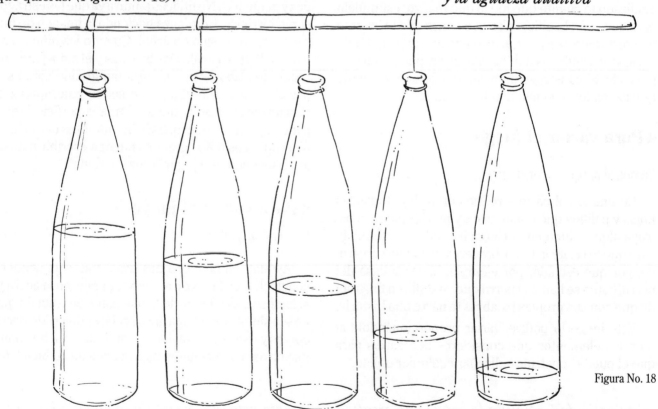

Figura No. 18

3 +

Vamos a modelar
. . . .

Desde muy pequeños los niños encuentran un gran placer y satisfacción en manejar material para modelado. Puede usar barro, plastilina, masa y arcilla.

El barro es el deleite de muchos niños, aunque es muy sucio. La plastilina les agrada y es fácil de manejar. La masa es limpia, suave y flexible. Se prepara con facilidad en la cantidad deseada (en *Transformando y elaborando nosotros mismos los materiales,* damos recetas de masas). La arcilla ofrece el mejor escape para la expresión de la imaginación y la realización de la forma, pero no siempre está disponible, aunque se consigue con tanta facilidad como la masa.

Los niños disfrutan cualquiera de estos materiales, *sintiéndolos.* Ceden y toman inmediatamente cualquier forma. Pueden presionarlos, enrollarlos, empujarlos, extenderlos, doblarlos, estirarlos, golpearlos, comprimirlos y cortarlos.

Pueden mantener su *textura* lisa, haciendo suaves ondas en ellos, o darles superficie encrespada, cavando con piezas afiladas. También pueden elaborar moldes. Este trabajo les proporciona además un escape para sus sentimientos agresivos. A medida que descubre diferentes formas de manipular este material, el niño encuentra que puede hacer cosas simples, por ejemplo: una pelota, una serpiente. Desde aquí puede proseguir a un modelado más difícil. Para aprender a valorar el regocijo de crear, no debe copiar modelos ni se le debe indicar qué hacer. Los modelos terminados de masa y arcilla pueden ser cocidos al sol o en el horno.

●Para variar el juego

Una vez los modelos estén secos, pueden pintarlos.

Una pelota de masa, plastilina o arcilla en el extremo de una varilla sin punta, puede ser convertida en toda clase de cabezas de muñecos *parlantes.*

Esta actividad estimula la creatividad

3 +

Simulemos una hoguera
. . . .

Enrolla pedazos de periódico y pégalos con cinta para que parezcan troncos y después corta unas cartulinas en forma de llamas. Pídeles a los niños que coloreen los troncos de café y las llamas de amarillo, rojo y naranja.

Luego de que la pintura seque, haz un simulacro de hoguera con los troncos y pega las llamas en medio de estos. Háblale a los niños del fuego, sus bondades y peligros.

●Para variar el juego

Entonen canciones alrededor de la hoguera como si estuvieran acampando.

Esta actividad estimula la recreación y la creatividad

3 +

La alfombra mágica

· ·

Estimular la imaginación de los niños es una tarea más fácil de lo que pensamos, pues ellos están llenos de fantasía y sólo algunas frases o sugerencias bastan para desplegar al máximo su creatividad.

Sienta al niño en una alfombra, pídele que la sostenga por la punta y se aliste para realizar un viaje maravilloso. Pregúntale ahora a dónde quiere ir. Tú puedes sugerirle algunos sitios, como por ejemplo el mar; ve con él al baño y anímalo a imaginarse dónde están los peces, la arena, de qué color ve el agua. Continúen el viaje a la librería y ve a la biblioteca, al supermercado y dirígete a la cocina. Puedes inventar mil lugares, él querrá estar viajando el día entero.

●Para variar el juego

Pídele al niño que invente otros medios de transporte, por ejemplo una nave espacial, un submarino, un tren, etc.

Esta actividad estimula la imaginación y la fantasía

3 +

Los pequeños agricultores

· ·

A los niños no sólo les encanta comer lo que cultivan, sino que es una fuente de aprendizaje increí-ble, pues con todo este proceso puedes hasta explicarles los conceptos de nacer, crecer, vivir y morir.

Hay que comenzar con cultivos pequeños. Escoge con los niños en el almacén las semillas que quieran comprar. Te sugerimos que planten primero vegetales de fácil cultivo, tales como lechugas, rábanos, zanahorias y remolachas. Dale instrucciones a los niños primero y luego deja que ellos preparen la tierra, siembren las semillas, pongan letreritos en las hileras correspondientes, deshierben, rieguen cuidadosamente, cosechen y preparen los productos para comerlos. Las fresas constituyen también un cultivo maravilloso para los niños; tienen bonita apariencia; las flores son hermosas y producen delicias para consumo inmediato (no olvides que hay que lavarlas antes).

●Para variar el juego

El espantapájaros

Es indispensable en todo cultivo, además de ser divertido de hacer. Entre todos los niños se consiguen prendas de ropa vieja, las rellenan de paja, hojas secas o papel periódico en bolitas.

El cuerpo puede hacerse rellenando un *jeans*, una camisa de manga larga y zapatos tenis; los accesorios pueden ser guantes, una bufanda, un sombrero y hasta joyas viejas de fantasía. La cabeza se hace con una media de nailon de señora y se rellena de igual forma. Como base necesitarán un palo fuerte o una escoba vieja. Bauticen el espantapájaros una vez terminado.

Esta actividad estimula la creatividad y la interacción social

3 +

Simulando una inundación

Gracias a lo fantasioso de la mente del niño podemos prepararlo para que se enfrente a la inundación de su casa. Pongámonos las botas, agarremos cacerolas y comencemos a vaciar el agua (imaginaria) que entra por las ventanas y los canales, explicándole que el agua se bota hacia afuera y teniendo la precaución de no mojar a ningún transeúnte.

●**Para variar el juego**

Vemos el humo, hacemos sonar la campana de alarma, tomamos el teléfono y llamamos a los bomberos, los cuales llegan comandados por tu hijo, quien será el jefe de los mismos, sacará la manguera y extinguirá el fuego.

Esta actividad estimula la creatividad y prepara al niño para enfrentar situaciones nuevas

4 +

Jugando con cubos

La idea es reproducir en miniatura el sitio en que te encuentras con el niño, la alcoba, el comedor, la sala, etcétera. Para esto lo más fácil es utilizar cubos de madera. Comenzarán por ver si el cuarto es cuadrado o rectangular y dónde están las ventanas, luego se representan en forma sencilla los muebles más grandes, y para finalizar toma algunos bloques más y, con marcadores de tinta lavable, conviértelos en personas y animales del hogar.

●**Para variar el juego**

La ciudad

Separa los bloques grandes de los medianos y los pequeños. Decide luego qué tipo de edificio podrá representar cada bloque: los más altos pueden ser edificios de oficina, uno de éstos pero acostado podrá ser una fábrica; los medianos, centros comerciales y escuelas, y los pequeños, casas. Luego sugiérele al niño para que con un marcador lavable le pinte a los bloques ventanas y puertas, personas en las casas, niños en las escuelas y algo que sugiera qué es cada bloque, por ejemplo, a la oficina de correos un sobre.

La gran ciudad

Recorre con el niño cada una de las alcobas y espacios y pónganles un nuevo nombre a cada uno: la estación de gasolina, el centro comercial, el colegio, la casa de la abuelita, etc. Utiliza cubos para construir en cada cuarto la edificación correspondiente. Luego el niño hará rodar sus camiones y automóviles de juguete, de cuarto en cuarto, y realizarán el juego apropiado en cada uno. Tú le puedes ayudar a ser bombero, dependiente de un almacén, o el abuelo.

Esta actividad estimula la creatividad, la motricidad fina y la interacción social

4 +

¿Qué es la felicidad?

Cuando el niño esté dispuesto a jugar, sugiérele que te represente bien sea por medio de la mímica, de una obra de teatro, o con sus palabras, cuáles han sido sus momentos de felicidad. Por ejemplo: dile que recuerde las navidades pasadas y qué sucedió en ellas, cuántos regalos recibió, el arreglo del árbol de Navidad, etc. Permítele que haga uso de todos los elementos que él considere necesarios para llevar a cabo esa representación y estimúlalo a que actúe por medio de la risa las caras felices, y de sorpresa sus momentos de felicidad.

●Para variar el juego

Los colores de la felicidad

Entrégale al niño una buena cantidad de colores y dile que te separe los colores que para él representan la felicidad y que con ellos te dibuje algún momento feliz que él recuerde.

Cuando termine su obra pídele que te explique en qué consiste y por qué escogió eso.

Esta actividad estimula la capacidad creativa en los niños

4 +

Pintando con las manos y los pies

En el mercado encontrarás pintura o tú la podrás diseñar especial para que el niño dibuje con toda su mano e inclusive con los pies. Para esto necesitarás de pliegos grandes de cartulina, de tarros en los que el niño pueda sumergir en ellos tanto las manos como los pies cuando estos se encuentren llenos de colores. Colócale ropa que se pueda manchar y permítele que sea él mismo quien dé rienda suelta a la imaginación. Cuando te indique que ha finalizado, pregúntale qué representa para él el dibujo que ha llevado a cabo.

●Para variar el juego

Pintando con la boca

Facilítale al niño pinceles de mango largo, cartulina y colores líquidos, enséñale a agarrar el pincel con la boca, a sumergirlo en el tarro de pintura y a llevarlo hacia la cartulina en la que deberá realizar los trazos que su imaginación le indique. Esto, como es de suponer, se debe llevar a cabo con la ropa y en el lugar adecuados, donde no exista temor de manchar algo.

Esta actividad estimula la capacidad creativa en el niño

4 +

La caja del artista
· ·

Coméntale al niño si quisiera tener una caja para guardar en ella todos sus utensilios de arte. Dile que la van a hacer entre los dos, que cómo se le ocurre. Puedes guiarlo ofreciéndole una caja de cartón resistente y una cuerda para cargarla u otro recipiente grande adecuado. Pueden utilizar pedazos de cartón a manera de divisiones para establecer secciones en las cuales colocar plumas, crayolas, pinturas, pinceles, papel, adhesivos, delantal, colores, tajalápiz, etc. Pueden guardar en un sobre los elementos más pequeños. Regálale ocasionalmente algo nuevo para la caja de arte. Trata de que quede fácil para transportarla por la casa (previniéndole de que no ensucie los pisos ni la alfombra). También puede llevarla cuando lo inviten donde un amiguito o donde los abuelos.

●Para variar el juego

Es posible que también tenga obras hechas en arcilla y éstas no las pueda cargar en su caja de arte; en vez de meterlas en el *closet*, exhíbelas en un lugar notorio, junto con una foto del artista trabajando. Guárdalas luego de algunas semanas, pero vuelve a sacarlas dentro de unos meses cuando haya producido otras obras maestras.

Esta actividad estimula la creatividad y fomenta el hábito del orden

4 +

El collage
· ·

Un *collage* es un cuadro que se hace pegando varios materiales de diferentes texturas, tamaño, forma, color o aun peso. De la creatividad de los niños dependerá el resultado de este. Proporciónales la mayor cantidad de materiales, deja que ellos te ayuden a escogerlos ya que desde este momento empiezan a disfrutar su trabajo. La siguiente lista te dará ideas del material que pueden utilizar:

Hilo.	*Papel de envolver.*
Lana.	*Cartón acanalado.*
Papel (de toda clase).	*Tierra, arena, aserrín.*
Hojas de aluminio.	*Palitos de dientes.*
Algodón.	*Pastos, flores secas.*
Etiquetas.	*Cáscaras de huevo machacadas.*
Papel celofán.	*Cuentas, botones.*
Hojas.	*Láminas de revistas.*
Trozos de madera.	*Virutas de madera.*
Papel picado.	*Telas de toda clase.*
Conchas.	*Papel de envolver.*
Estampillas.	*Cinta.*
Paja.	*Papel glasé.*
Semillas.	*Plumas.*
Fieltro.	*Fideos.*

Estos materiales los pegan en cualquier base de cartón, papel fuerte o madera triplex.

Una vez terminado el trabajo y lo hayan dejado secar, pueden echarle laca para que dure más y no se despegue muy pronto todo lo que se colocó.

●Para variar el juego

El niño puede agregar a su *collage* (antes de la laca si piensa echarle) líneas de colores con crayolas, pinturas, marcadores o tiza: por ejemplo, puede dibujar varias personas y luego pegarles ropa que ha cortado de diferentes clases de materiales.

Esta actividad estimula la creatividad
y la motricidad fina

4 +

Experimentando con el agua

· ·

¿Qué niño puede resistirse a un charco? Ponlos a experimentar arrojando piedras en el agua para ver las salpicaduras y los círculos de las ondas que se ensanchan. Hazles caer en la cuenta del vapor que sale de los labios en un día muy frío y sugiéreles hacer figuras en los vidrios que se opacan por la diferencia de temperaturas. Préstales un pitillo o una manguera pequeña para que soplen por encima (se riza y se ondea), por debajo (gorgoteo y burbujeo) y a ras de agua, y que observen qué pasa en cada uno de los casos.

●Para variar el juego

En forma natural el agua cae hacia abajo, a menos que se la sople, se succione con una manguera, se la ponga a correr por canales, se pase por embudos, se haga caer a otro recipiente y finalmente se deje fluir. Insinúale todo esto al niño y el resto déjaselo a su imaginación.

Esta actividad estimula la creatividad

4 +

Personificación y actividades dramáticas

. . . .

La mayoría de los juegos de los niños se relacionan con situaciones de todos los días, por ejemplo: papá en el trabajo, mamá en la casa, el médico que nos examina, el lechero que deja diariamente la leche, un asado en familia. Aquí los niños pueden identificarse con miembros de la familia o con amigos y determinar las relaciones.

Las experiencias que causan a los niños miedo o interés son el objetivo principal de sus juegos, por ejemplo: el hospital, el veterinario, andar en motocicleta a gran velocidad. Al realizar estos juegos los niños estarán descargando sus emociones y aliviando sus tensiones.

No les digamos a los niños cómo efectuar estos juegos, sus propias observaciones y rica imaginación son más que adecuadas para esto. Sin embargo, en el momento apropiado podemos ofrecerles sugerencias para mejorar la calidad de su juego y ayudarles para estimular ideas.

Actividades que puedes sugerir

— *De compras:* comprar, vender, arreglar la mercancía para la venta, pesar, pagar, registrar, etc.

Objetos: teléfono, cartera, dinero de mentira, ropas, una canastilla, paquetes o latas vacías, una caja grande con cajitas pequeñas adentro que haga de registradora.

— *Estación de servicio:* colocar a los autos el combustible, agua, aire, limpiar parabrisas, revisar el motor, cambiar las llantas, lavarlo.

Objetos: automóviles, una manguera vieja, trapos, herramientas, dinero de mentiras, recipientes plásticos grandes.

— *Granjeros:* alimentar, ser animales, esquilar las ovejas, ordeñar las vacas, herrar un caballo, amansar un potro, recoger los huevos.

Objetos: animales de juguete, balde, tractor (caja, triciclo), lazo.

— *Hospital:* una operación, pacientes en cama, dosificar medicina, visitas con flores, hacer las camas, caminar, médicos y enfermeras.

Objetos: camas o mantas, cuchara y botella de plástico, vendajes (telas viejas), banditas adhesivas, termómetro (pitillo o pajillas), block de notas y lápiz, estetoscopio, valija grande negra, batas blancas (blusa de papá o mamá).

Esta actividad estimula la creatividad y la socialización

4 +

Títeres

Dale a los niños unos títeres o si tienen tiempo háganlos ustedes mismos (en *Transformando y elaborando nosotros mismos los materiales,* te indicamos cómo hacer unos muñecos con medias).

Pónganse de acuerdo sobre el tema del cuento que van a representar y pídeles a los niños que ellos mismos lo elaboren.

Tú simplemente les ayudarás, ellos serán quienes crearán, coordinarán y ejecutarán la obra.

Como público puedes invitar a los abuelos, tíos y vecinos.

●Para variar el juego

Ventriloquía

Explícales en qué consiste la ventriloquía por si nunca la han visto hacer. Dale un muñeco a cada uno y ellos mismos crearán el diálogo entre los muñecos.

Esta actividad estimula la creatividad

4 +

Una batalla imaginaria

Invita a los niños a participar en una batalla, pero esta tiene una característica especial y es que las armas son imaginarias. Pide, entonces, a cada niño que imagine su propio instrumento de lucha; dales dos minutos para esto.

Proporciona papel y lápiz para que intenten dibujarla y luego cada niño debe relatar una historia (batalla) a los demás mostrando sus figuras.

●Para variar el juego

Propón a los niños la construcción de una ciudad imaginaria, puede ser una ciudad del pasado o del futuro; hazlo pidiendo a los niños que la dibujen o que en realidad la construyan a escala, utilizando materiales de desecho, como cajas de leche, vasitos de yogur, palos, papel, etc.

Esta actividad estimula la creatividad

5 +

Trabajemos con engrudo

El engrudo lo hacemos de la siguiente manera: en una cacerola mezcla 1/3 de taza de harina de trigo sin levadura con dos cucharadas de azúcar. Colócala a fuego medio y agrega gradualmente una taza de agua. Revuelve constantemente hasta que la mezcla se aclare. Retírala del fuego y agrega 1/4 de cucharadita de aceite. Una vez lo tengas listo, rasga papeles de colores haciendo formas interesantes para elaborar un *collage*. También puedes utilizar fotos de revistas u otras imágenes. Nunca preguntes *¿qué es esto?*, ni des órdenes tales como *más rojo aquí, menos verde allá* o *trabajen más despacio*. Trabaja al mismo tiempo que ellos, en forma cuidadosa y disfrutando su creación.

●Para variar el juego

Haciendo carteleras

Haz una cartelera familiar para colocar en una pared de la casa en donde todos la vean con frecuencia. La cartelera puede tener un calendario en el cual estén anotadas y pegadas con engrudo todas las cosas interesantes que la familia hará durante el mes. También puedes pegar imágenes y fotos, anotar listas de tareas hogareñas, número de teléfonos, invitaciones y cosas similares. Esta cartelera, además de ser algo divertido de elaborar a comienzos de cada mes, les ayuda a ubicarse en el tiempo y responder a sus obligaciones.

Esta actividad estimula la creatividad
y motricidad fina

5 +

La banda de música

Los instrumentos de una banda se pueden fácilmente construir; aquí te sugerimos algunas ideas para que las lleves a cabo con los niños.

Platillos

Con dos tapas de olla o de cazuela.

Tambor

Utiliza un tarro de leche en polvo y hazle dos agujeros cerca de su borde superior.

Pasa una cuerda por dichos agujeros y ata juntos los extremos con un nudo. Ya tienes el tambor. Cuélgatelo al cuello. Como baqueta puedes utilizar una cuchara de madera.

Dulzaina

Forra una peinilla con un trozo de papel encerado. Para hacerlo sonar se apoya en los labios y se tararea una canción.

Flauta

Con la punta de un lápiz haz varios agujeros alineados en un tubo de cartulina. Cubre uno de los extremos con papel encerado y sujétalo con un caucho para que no se mueva; para tocar, sopla por el otro extremo, tapando con los dos dedos el agujero.

Maracas

Para esta actividad necesitarás una lata de gaseosa. Por la boca de la lata introduce semillas o granos. Hazle con un clavo un agujero en el fondo de la lata. Pasa por él un lápiz sin punta que salga por el otro extremo. Tapa los agujeros con cinta adhesiva para que no escapen las semillas o los granos. El lápiz será muy útil para sostener y manejar la nueva maraca. Puede decorarse para hacerla más atractiva. Organiza sesiones de música e invítalos a componer diferentes melodías. *(Figura No. 19)*.

Esta actividad estimula la creatividad

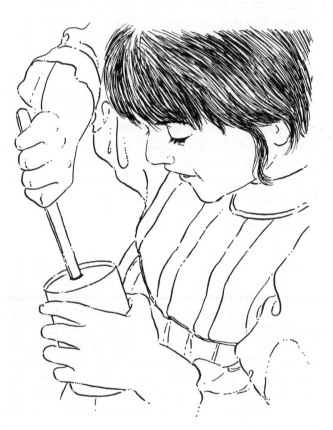

Figura No. 19

138

5 +

Hagamos ver que...

. . . .

Para los niños es muy divertido y estimula su creatividad hacer ver que se es otra persona. Al fingir uno puede escoger el personaje que desea interpretar y realizar lo que más le apetezca.

Aquí te sugerimos cómo representar algunos personajes:

Médico: para hacer un estetoscopio ata una cuerda larga a una tapa de gaseosa y cuélgasela al cuello.

Sheriff: recorta una estrella de cartulina, fórrala con papel plateado y sujétasela a la camisa con un gancho.

Explorador: pega juntos dos rollos de papel higiénico, para hacer unos binóculos.

Hawaiana: coge una bolsa grande de papel y córtale el fondo. Traza una línea a los ocho centímetros del borde superior de la bolsa. Corta la bolsa en tiras terminando en la línea que acabas de trazar. Recorta unos tirantes y pégalos a la falda con una cinta adhesiva. Con unas servilletas de papel arrugadas se hacen unas flores muy bonitas que se ponen de adorno en los tirantes.

Cowboy: pídele que se ate un pañuelo al cuello. Coge un pedazo de cuerda gruesa que le sirva de lazo. Como caballo usa una escoba vieja y cúbrela con una bolsa de papel dándole la forma de la cabeza. Atale al cuello una cuerda larga y tendrás las riendas.

Viajero: consigue varias revistas y recorta de ellas diferentes sitios donde se podría viajar. Con las bolsas del mercado organiza las maletas. Pon en fila varias sillas, de manera que parezcan un avión o un tren. Anímalo a subir a bordo y emprender un viaje maravilloso.

Telefonista: para fabricar una central de teléfonos utiliza una caja mediana de cartón y hazle múltiples agujeros. Pasa por allí varios hilos por algunos de los agujeros, haciéndoles un nudo en el extremo que queda en la parte de adentro para que no se escapen. Ata un clavo en el otro extremo del hilo y tendrás las clavijas.

Los auriculares se confeccionan con orejeras y el micrófono con un vaso de papel.

Dales a los niños los materiales y sólo algunas indicaciones, lo demás déjalo a su imaginación, te sorprenderás de todo lo que pueden transformar y crear.

Esta actividad estimula la fantasía

5 +
Coloreando las canciones
. . . .

Coloca las canciones preferidas de tu hijo y entrégale colores y papel. Le explicarás que él deberá escuchar una a una las canciones y que en el momento de estar escuchándolas dibujará lo que siente o lo que la canción le expresa a él. Si notas que esto le cuesta un poco de dificultad, comienza tú a dibujar lo que representa la canción para ti y explícale el porqué de ello al niño.

●**Para variar el juego**
Coloreando a los primos

Entrégale papel, lápices de colores y borradores, y pídele que te dibuje a sus primos más cercanos, con los que el niño se vea con frecuencia. Cuando haya finalizado sugiérele que te explique por qué los dibujos de ese color, de ese tamaño, realizando esa labor, etcétera. Te sorprenderán las respuestas que te dará y verás cómo su imaginación ha contribuido a realizar esta actividad.

Esta actividad estimula la capacidad creativa en los niños y su capacidad de asociación

5 +
A reciclar
. . . .

En el hogar contamos con objetos como botellas o frascos plásticos, tarros de cremas, alambres recubiertos con plásticos, tarros de metal que no representan peligro, cartones, etc., que sirven para ser reciclados por nosotros y con ellos construir para nuestros hijos juguetes que les fascinarán. Este juego consiste en, primero, con ayuda del niño, mirar dentro de la estantería qué elementos pueden ser reciclados (previamente debe existir una explicación por parte nuestra acerca de lo que es el reciclaje); reunir estos elementos y preguntarle al niño si él ve posible que con una botella plástica podamos elaborar un embudo. Con un tarro de boca ancha construir una olla o cacerola colocándole encima por medio de dos orificios un alambre. Con un balde que no se use confeccionar un columpio para muñecas haciendo dos orificios para los pies de las muñecas, atando los extremos con un cordel y sujetándolo contra algo para que dé el movimiento de balanceo. En el inicio deberás colaborar sobre todo en la cortada de los envases para evitar cualquier herida, luego verás cómo el niño es capaz, por sí solo, de diseñar para sí los juguetes que él considere necesarios.

●**Para variar el juego**
Construyendo teléfonos y parlantes

Entrégale al niño dos tarros bien sea de plástico o de metal, con un orificio en la base, un cordel más bien largo y dile que te arme un teléfono. Notarás cómo el niño disfrutará de su nuevo juguete y lo utilizará cada vez que se encuentre con amigos, mostrándoles su propio diseño.

Esta actividad estimula la capacidad creativa en los niños

5 +

De paseo por el parque, el mar, la Luna

En una tarde lluviosa o que el niño y tú no puedan salir, dile que cada habitación de que consta la casa será uno de sus lugares favoritos, colocando en ella los elementos que el niño considere que estarían en él, si es un parque, por ejemplo, la escoba puede ser un árbol, la flor que utilizas para adornar se puede pasar para esa habitación mientras dura el juego, etc., y que al arribar a ella se comportará como si realmente estuviera en ese sitio, por ejemplo: al llegar al parque se encontrará con otros niños, los saludará, jugará con ellos, mirará las flores y los árboles, correrá detrás del perro, etc. Al llegar a la Luna se colocará su traje espacial y llevará la cámara para registrar lo que ve en ella, que se comunicará con la Tierra por medio de los radios, etc. Verás cómo el niño pone en marcha toda la capacidad creativa para disfrutar de este paseo imaginario.

●Para variar el juego

Esta actividad la podrás desarrollar preguntándole al niño hacia qué lugares desearía ir de paseo esa tarde y qué objetos encontraría en ellos.

Esta actividad estimula la capacidad creativa y de desarrollo

5 +

Terminar el dibujo

En una hoja dibuja un círculo, un triángulo, un cuadrado, un rectángulo, una casa, un sol, un árbol, etcétera, en fin, todo aquello que tú consideres que el niño reconocerá. Pero ten presente, y aquí es donde está el juego, de no terminar los dibujos, luego le pasarás la hoja al niño y le pedirás que los complete. Antes que comience pídele que te diga qué es cada uno de los dibujos que hacen falta por completar, cuando te lo haya expresado, entonces podrás decirle que ahora sí inicie con la finalización del dibujo.

●Para variar el juego

Contando para finalizar el dibujo

Como en el ejercicio anterior, pinta sobre una hoja diversos objetos reconocibles para el niño, pero sin finalizarlos. Sólo que ahora colocarás puntos y números del uno al cinco terminando, por ejemplo, el círculo. De esa forma el niño para completar lo que le hace falta al círculo tendrá que seguir en orden entre los números del uno al cinco, a la vez que une con una línea los puntos.

Esta actividad estimula la capacidad de creatividad en el niño

5 +

Mami, ¿qué hacemos?

Cuando oigas esta frase tan común en los niños y no tengas ningún plan especial qué ofrecer, invéntales actividades sencillas que estimulen la creatividad como: Ofrécele al niño tres juguetes bien distintos entre ellos, tales como una muñeca, un camión y un objeto musical, y pídele que se invente un juego que resulte bien divertido con esos tres juguetes.

Dale a cada uno de los niños cuatro ganchos suje-tapapeles (clips), un marcador de color, una hoja de papel y un sobre para ver lo que cada cual pueda crear.

Comienza un cuento en que una mujer quiere pasar al otro lado de un elevado muro de concreto. Pregunta qué métodos podría utilizar ella.

●Para variar el juego

A la tercera actividad le puedes hacer toda clase de variaciones planteándoles diferentes problemas, dejando que ellos se inventen otros, e incentivándolos a que digan *todo* lo que se les vaya ocurriendo para solucionarlos.

Esta actividad estimulará la creatividad

5 +

Juegos con una aguja

1. Llena de agua un bol y coloca sobre ella un pedazo de papel de seda. Pon una aguja sobre el papel; cuando éste se empape y se hunda, la aguja seguirá flotando.

2. Coloca horizontalmente la aguja sosteniendo sus extremos con un hilo en doble y bájala hasta el agua; retira cuidadosamente los hilos para que quede flotando.

●Para variar el juego

Para hacer una brújula magnetiza una aguja frotándola sobre un imán potente. Luego haz flotar la aguja en el agua (como lo indicamos arriba), en la cual actuará como una brújula sensible.

Esta actividad estimula la creatividad y el ingenio

5 +

Jugando al teatro

Las marionetas

Confeccionar marionetas es sencillo, sólo se requiere una bolsa de papel con pelo, ojos, nariz y boca pintados. Le permiten al niño expresar sus ideas sin temor, convertirse en un guionista creativo que expresa libremente sus sentimientos. Podemos, entonces, jugar al niño que ingresó al colegio por primera vez, o al niño que le llegó un hermanito nuevo, en fin, todas aquellas situaciones que tú consideres le estén causando ansiedad al niño.

Esta actividad estimula la creatividad y el desarrollo socioafectivo

6 +

Actividades con papel

Utiliza páginas de catálogos de juguetes o fotografías de página entera de revistas viejas para hacer rompecabezas. Es aconsejable pegarlas primero sobre papel blanco, para que el revés de todas sea el mismo. Cada miembro de la familia debe recortar una página en seis partes. Luego, cada uno le entregará al otro su grupo de recortes y verán quién arma más rápido el rompecabezas.

Finalmente, las piezas en su totalidad se colocan en el centro de la mesa y la familia trabaja en conjunto para armar todos los rompecabezas.

● Para variar el juego

Popurrí de colores

Sobre un pedazo de papel parafinado, muéstrale al niño cómo utilizar un rallador o rallo de cocina para desmenuzar una crayola. Luego guíalo para que al rallar crayolas de diferentes colores, deje caer las ralladuras en distintos sitios del papel parafinado y lleva todo a la mesa de planchar.

Colócale al niño una silla para que pueda ayudar, y un trapo viejo sobre la mesa de planchar para que ésta no se manche. Observarás las hermosas figuras que surgen al planchar los papeles parafinados con la plancha moderadamente caliente. Ayúdale al niño a hacer el planchado, vigilándolo cuidadosamente para que no se vaya a quemar. Impídele al niño realizar esta actividad mientras no estés tú a su lado.

Adivina qué es

Dibuja en una hoja de papel un diseño de líneas inventado por ti. Líneas cortas, largas, rectas, curvas, entrecruzadas, etc. Dile al niño que determine las figuras que él ve entre las líneas y que las coloree.

Te sorprenderás de lo que los niños descubren. Luego háganlo al revés, él dibuja y tú descubres (que él te ayude).

Bip - bip el correo

Al organizar el correo que te llega, separa el correo promocional desechable y entrégaselo al niño para que sea su correo especial. A él le interesarán los letreros grandes y las imágenes y fotografías.

Individuales hechos por nosotros

Para esta actividad utiliza una hoja de papel corriente de tamaño carta. Con tu hijo busca imágenes interesantes y divertidas en catálogos, revistas e historietas y péguenlas en la hoja, asegurándose de que los bordes no queden levantados. Para que esta gran obra dure más, fórrala de papel *contact* transparente.

Usa en la mesa estos manteles individuales de colores.

Esta actividad estimula la creatividad y la motricidad fina

6 +

Película premio Oscar
. . . .

Si se llega el domingo y no tienen pensado salir y los niños están con mucho entusiasmo de realizar algo, *hacer una película* es lo ideal. Si no tienes cámara de video, obtén una prestada. Reúnete con los niños y definan el tema de la película que quieren hacer y le colocan un título. Cuando los actores estén listos, consigan disfraces, utilería y escojan la música adecuada. Discutan las representaciones pero no hagan ensayos.

Durante la filmación pueden rotarse las actividades de director, actor y camarógrafo. Inviten a vecinos y amigos a la *premier* y disfruten de los aciertos y desaciertos.

● **Juegos para variar**

Hay muchos acontecimientos que suceden por primera vez en la vida familiar. Dedicar una cinta de video o grabar la primera vez que algo sucede, haciéndole agregados de vez en cuando, constituye un tesoro de recuerdos para toda la familia.

A continuación encontrarás una lista de primeras ocasiones que se pueden filmar: el primer bebé, la primera sonrisa, el primer diente, los primeros pasos, el primer día de la escuela, el primer libro que leyó solo, el primer camping, el primer maquillaje, etc. No te olvides de fechar cada filmación.

Esta actividad estimula la creatividad y la interacción social

6 +

Hagamos galletas con tus moldes

Facilítale al niño cartulina, lápices y borradores; explícale que esa tarde harán galletas pero que utilizarán los moldes que él haga, que por eso antes deberá diseñarlos como él quiera, que representen la figura o el objeto que él desee. Dile que sólo serán necesarios cinco modelos que él escogerá de los que dibuje, los que más le gusten. Cuando haya finalizado de pintar los recortarán y en el momento de tener la masa lista los colocará sobre ella y los irán recortando para luego sí, meterlos al horno.

Esta actividad estimula la capacidad creativa y la motricidad fina

6 +

Viaje a las profundidades del mar

Léele a tu hijo acerca de los animales, las plantas, en fin sobre todo aquello que habita en el fondo del mar y sobre la existencia de los submarinos como medio de transporte para llegar allí. Cuando veas que el niño realmente domina el tema, sugiere que ambos cierren los ojos y que se imaginen que se encuentran dentro de un submarino, del cual él será el capitán que los guiará hacia el fondo del mar. Pídele que vaya narrando qué va viendo a medida que viaja por el fondo del mismo. Si ves que le cuesta algo de dificultad, comienza tú diciendo: *Estamos en el atracadero, donde se parquean los submarinos, el capitán sube a él y pide que comencemos a bajar al mar, cuando esto sucede, empezamos a ver las estrellas de mar, los peces de color rojo, los pulpos, ¡cuidado que se acerca uno con los tentáculos!,* etc. De esa forma lo estimularás a seguir narrando lo que ve en su imaginación.

●Para variar el juego

Viaje a Marte

Explícale al niño que existen otros planetas en nuestro sistema solar y que vamos a imaginar que hay una nave espacial dispuesta para llevarnos a Marte (uno de esos planetas). En ese momento pídele que cierre contigo los ojos para poder iniciar el viaje, ya que el capitán de la nave los invita para que pasen a la cabina y puedan admirar las estrellas, el Sol, los planetas, etc. Pídele que te cuente qué observa, de qué color ve las estrellas, cuántos planetas ha visto y cómo los llamaría y por qué. En fin, pon a funcionar la imaginación y creatividad de tu hijo.

Este juego de imaginación lo puedes realizar con un viaje al viejo oeste, a una reservación indígena, a Disneylandia, o a todo aquel lugar que veas que resulta interesante para tu hijo.

Esta actividad estimula la capacidad creativa

6 +

La tarde de los piratas

. . . .

Invita a tu casa a un grupo de cuatro o más niños compañeros de tu hijo, a pasar la tarde con él en casa. Cuando lleguen todos los invitados, entrégale a cada uno de ellos lápices de colores, papel periódico, papel en blanco, revistas, tijeras y pegante. Ellos inmediatamente por curiosidad preguntarán para qué es todo eso; tú, colocando una voz de animación, les contestarás que esa tarde la pasarán con los piratas y que para eso tienen ellos mismos que diseñar y elaborar su propio disfraz o símbolos que representen a los piratas. Explicándoles que las herramientas que les diste anteriormente (lápices, papel, etc.) son para eso.

Es importante que cada niño cuente con la misma cantidad de materiales para que no se establezca competencia entre sí. En ese momento aléjate del grupo y observa cómo cada uno de los niños va diseñando su disfraz o símbolo.

Cuando hayan terminado, pídeles que te expliquen en qué consiste cada una de sus obras y qué trataron de expresar con ellas. Te sorprenderás al ver cómo utilizan su creatividad para hacer diseños.

●Para variar el juego

La tarde de Aladino

Como en el juego anterior, cuando tengas todos los invitados reunidos, y les hayas entregado a cada uno de ellos los lápices de colores, el papel, las revistas, las tijeras, el pegante, etc., y te hayas asegurado de que cada uno de ellos conoce el cuento de Aladino y la Lámpara Maravillosa y los personajes que en él actúan, es cuando les vas a informar que esa tarde la pasarán con Aladino y sus amigos y que por eso es necesario que cada uno de ellos diseñe su propio disfraz con los elementos que tú les has dado. Si surgen preguntas de: ¿Cómo quieres el disfraz?; que si tiene que ser el disfraz completo; contéstales que tú estás segura de que ellos con su gran imaginación podrán llegar a hacer el disfraz perfectamente. Para esto dales un tiempo prudencial y si te es posible, obsérvalos cómo desarrollan sus obras, te sorprenderás. Este mismo juego lo podrás realizar con los personajes que los niños te sugieran que quieren representar.

Esta actividad estimula la capacidad creativa

6 +

El laboratorio acuático
· ·

Saca unos cubos de hielo de la nevera y mételos dentro de un platón de agua, deja que el niño observe cómo flotan en el agua, cómo se van deshaciendo en ella, cómo se enfría ésta al colocarlos dentro, en fin, señálale todo lo que puede ocurrir con el hielo.

Después llena una cubeta de hielo con agua en su presencia y déjalo que ayude a llevarla hacia el congelador, explícale que van a esperar a que pase un poco el tiempo para ir mirando lo que va sucediendo con ésta dentro del congelador. Permite que el niño vea el proceso de congelamiento.

●Para variar el juego

Jugando con granizo

Si en tu ciudad al llover cae granizo, aprovecha esa oportunidad para salir cuando haya escampado a coleccionar granizos en un balde. Explícale mientras llueve cómo se condensa el agua y esta cae en pedazos de nieve al piso.

Al entrar en la casa, traigan con ustedes el balde con los granizos y estén atentos a la descongelación de este. Si es posible deja que el niño cuando se encuentre en la calle intente armar muñecos con el granizo.

Hagamos raspado

Con un trozo de hielo introducido dentro de la licuadora, obtendrás un raspado, al cual le puedes agregar un jugo de frutas y un poco de leche condensada. Deja que el niño participe bajo tu supervisión en todo el proceso de la elaboración del raspado, explicándole cómo el hielo se puede convertir en escarcha.

Esta actividad estimula la creatividad y la necesidad de investigación

147

7 +

El hilo misterioso

. . . .

Este juego es una broma bastante divertida que se puede realizar en una reunión o con un grupo de amigos.

Toma un carrete de hilo, desenvuelve un poco y enhebra con él una aguja.

El carrete se echa en uno de los bolsillos interiores del saco, se saca la aguja enhebrada por la solapa de manera que queden unos cuatro centímetros de hilo sobre el saco, como una hilacha prendida.

Se quita la aguja.

Alguien muy cultamente tratará de quitar la hilacha, creyendo que se trata de una inadvertencia tuya, pero al tirarla, el carrete que está en el bolsillo, deja que el hilo salga y la hebra se haga más larga cuanto más tire el atento amigo, hasta convencerse de que es una tomadura de pelo. *(Figura No. 20)*.

●Para variar el juego

Posiblemente ninguno de los asistentes a una reunión crea si le dices que sin untarte ningún pegante en los dedos, puedes posar tu mano en un plato sopero y levantarlo luego sin que éste se caiga al suelo.

Para lograrlo debes secar muy bien el plato con un trapo; lo mismo haces con la mano.

Coloca el plato boca abajo sobre una mesa, aplica las yemas de los dedos extendidos sobre la parte posterior del plato. Con sorpresa de toda la concurrencia, muestras cómo puedes levantar la mano permaneciendo el plato en cuestión adherido a las yemas de los cinco dedos.

Esta actividad estimula la imaginación y la creatividad

Figura No. 20

148

7 +

Para escribir cien

Reúne un grupo de niños y consigue un tablero o un papelógrafo. Anuncia a uno de los integrantes, quien va a demostrar su habilidad numérica. Comienza diciendo al auditorio que es capaz de representar el número cien mediante el empleo de una cifra cinco veces repetida, intercalando los símbolos aritméticos que la demostración exija. Y a hacerlo de tres formas diferentes.

Se hace de la siguiente manera:

a) 111 - 11 = 100.

b) (5 x 5 x 5) - (5 x 5) = 100.

c) 5 (5 + 5 + 5 + 5) = 100.

●Para variar el juego

Puedes hacer una demostración curiosa de números; pides a los participantes si alguno de ellos puede escribir cinco cifras o números dígitos iguales cuya suma dé por resultado el número 14.

Se hace de la siguiente manera:

11 + 1 + 1 + 1 = 14

Esta actividad estimula la deducción e imaginación

7 +

Juegos de adivinanzas

Uno de los participantes debe pensar en una persona, objeto o lugar. Los demás intentan averiguarlo, realizando por turno hasta veinte preguntas. Los jugadores sólo pueden hacer preguntas que se contesten con sí o no, o no lo sé. Por ejemplo, puede interrogarse: *¿Es mayor que una caja de zapatos?,* pero no puede preguntarse: *¿Cómo es de grande?*

●Para variar el juego

Las *adivinanzas* son excelentes elementos para estimular la imaginación; a medida que los niños van creciendo puedes ir aumentando su dificultad.

Te sugerimos algunas:

— Existo cuando estoy preso
pero en libertad me muero.

El secreto.

— Cuando iba la iba dejando y
cuando venía la iba encontrando.

La huella.

— Están a tu lado y no las ves.

Las orejas.

— ¿Cuál de los animales tiene
en su nombre las cinco vocales?

El murciélago.

— ¿Cuál es el animal que al ponerse boca arriba cambia de nombre?

El escarabajo.

— El que lo hace lo vende, el que lo compra no lo usa y el que lo usa no lo ve.

El ataúd.

— Brama, brama como el toro y relumbra como el oro.

El trueno.

— Me hincho tanto, tanto, que me desahogo en llanto.

La nube.

Esta actividad estimula la imaginación

7 +

La historia de los pájaros

Si tu hijo tiene uno o más invitados, sugiéreles jugar investigando primero en los libros (los cuales tú les leerás) y haciendo una historia sobre los pájaros, la cual ellos mismos van a inventar sobre todo aquello que saben acerca de estos animales, como por ejemplo: que vuelan, que hacen nidos, que nacen a través del huevo, que migran o viajan grandes extensiones, que retienen plumas, que otros viven cerca del mar, etcétera. Trata de no darles tú todas las explicaciones, sino que más bien sean ellos quienes saquen sus propias conclusiones. Si notas que les cuesta trabajo realizar una historia, dales tu propia versión, incítalos a que ellos lo logren.

●Para variar el juego

La historia de los dinosaurios

Como en el juego anterior, sugiere a los niños que cuente cada uno de ellos una historia acerca de los dinosaurios; en caso de que ellos no te brinden al principio los elementos necesarios, entonces recomiéndales que busquen con tu ayuda en los libros acerca de los dinosaurios. Para así cuando ellos realmente conozcan acerca de estos animales se sientan capaces de relatar una historia sobre ellos.

Los mismos niños llegarán a sugerirte sobre qué animales quieren investigar y contar la historia, y si esto no sucede, entonces se tú quien lo sugiera, como por ejemplo la historia de las tortugas, los conejos, etc.

Esta actividad estimula la creatividad y su expresión verbal

7 +

El espía
. . . .

Reúne a tu hijo con uno o más niños y propónles jugar *al espía*. Este juego consiste en preparar un mensaje secreto para que los niños puedan llegar a descifrarlo. Para ello será necesario que en un papel escribas las diez primeras letras del alfabeto y que cada una de ellas esté representada con los diez primeros números, ejemplo:

a   b   c   d   e   f   g   h   i   j
1   2   3   4   5   6   7   8   9   10

Y en otro papel les escribes un mensaje:

EL   ESPIA   VIENE   A   LA   CASA
5L   5SP91   V95N5   1   L1   3151

Explicándoles cómo una letra corresponde a un determinado número.

Si consideras necesario repite el ejemplo con otras oraciones hasta que consideres que los niños han introyectado y captado la finalidad del juego. Luego pídeles que sean ellos mismos quienes te dicten el mensaje que quieren descifrar (el cual tú escribirás con los números que representan a cada una de las diez primeras letras del abecedario) y con la ayuda de ellos descífralos.

●Para variar el juego

El espía y las vocales

Como en el juego anterior, escribe en un papel las vocales y que estas estén representadas por los cinco primeros números, ejemplo:

a   e   i   o   u
1   2   3   4   5

escribe un mensaje:

DONDE   ESTA   EL   ESPIA
D4ND2   2ST1   2L   2SP31

Repite, si consideras necesario, el ejemplo con otras frases hasta que lo juzgues pertinente. Luego diles a los niños que sean ellos quienes te dicten los mensajes y entre todos traten de descifrarlos (ya que tú los escribirás con los números que representan a cada una de las vocales). Este juego se podrá variar colocando a cada vocal o letra del abecedario los números o signos que los niños deseen y de esa manera descifrar los mensajes de acuerdo con ello.

Esta actividad estimula la capacidad creativa y la atención

. . . .

Capítulo VI

Area sensorial

• •

Percibiendo el mundo

La dimensión sensorial del niño posibilita su contacto activo con el entorno, por medio de ella interpreta, conoce y siente cuanto le rodea, estableciendo un fascinante sistema de comunicación. La percepción se desarrolla con el transcurso del tiempo, a través de una continua interacción con dimensiones como el equilibrio, las tensiones (musculares y otras), la postura, temperatura, vibración, contacto, ritmo, tiempo, duración, gama y matiz de los tonos; pero también somos sensibles a otras dimensiones más complejas como el afecto, el cuidado y el amor.

El juego le posibilita muchos de estos contactos al poner en práctica destrezas auditivas, visuales, táctiles y olfativas. Es un medio para utilizar los sentidos y tomar información, explorar y formar conceptos como duro, blando; dulce, salado; pequeño, grande; cerca, lejos. El área sensorial constituye una dimensión vital del desarrollo, que el niño pone a prueba constantemente en sus actividades de juego.

2 +

Los tres osos

Inventa una historia simple con tres osos. La tradicional es muy larga y complicada para un niño de esta edad. Aquí hay una posible historia:

Había una vez tres osos: uno (levantas un dedo), *dos* (levantas otro dedo) *y tres* (levantas un tercer dedo). *Ellos vinieron a la casa de María* (sustituye el nombre por el de tu hijo) *a preguntar si su osito podía venir a jugar. María y su osito los invitaron a tomar leche con galletas y a jugar con cubos de madera.*

Después de contar esta historia sirve tres vasos de leche con galletas y repite la historia, pero esta vez actúala; si no tienes osos, escoge cualquier animal de peluche. Invita a los tres osos a tomarse la leche con galletas.

Simula que ellos se están tomando la leche y comiendo las galletas. Saca los cubos de madera (u otro juego) y actúa como si todos estuvieran jugando con ellos.

●Para variar el juego

Hazlo con diferentes personajes en otras actividades como por ejemplo cuando los niños van a la escuela, teatro, etc.

Esta actividad estimula la capacidad de escucha

2 +

Diviértete con una lupa

Consíguete una lupa, preferiblemente de plástico. Sal con el niño y siéntate al aire libre. Dale una pajita o brizna de pasto. Muéstrale y enséñale cómo mirarla a través de la lupa. Háblale de lo grande que se ven las cosas. Ayúdale al niño a examinar su cuerpo con la lupa. Las uñas, la piel—especialmente si tiene una cura puesta—. Las uñas de los dedos de los pies les parece fascinante, los ojos (observando que lo hagan con mucho cuidado).

Caminen alrededor del jardín o parque y vayan observando lo que encuentren. Miren las hojas por encima, por debajo, examinen una flor, la corteza de un árbol. Agáchense y busquen en la tierra algún animal que esté reptando.

Después de esto, seguramente tu niño querrá cargar la lupa todo el tiempo y a todas partes que vaya.

●Para variar el juego

Enséñale libros y revistas con letra pequeña y muéstrale cómo aumenta su tamaño.

Esta actividad estimula la habilidad de observación

3 +

El hielo bailarín
. . . .

Invita a los niños a hacer hielo y a que esperen unas horas a que el agua se congele. Si ya lo tienes hecho, colócales delantales y cubre el área de juego con papel periódico. Rocía una pequeña cantidad de témpera (en polvo preferiblemente) sobre el papel en que vayan a trabajar. Coloca un cubo de hielo por niño y pon a sonar la música. Pídele a los niños que hagan bailar los cubos al compás de la música.

El tamaño de los cubos de hielo determinará la duración de esta actividad.

Dejen luego secar los dibujos y... ¡a limpiar!

● Para variar el juego

Puedes modificar el número y la variedad de colores usados. Haz una exposición de pinturas en la que los niños hablarán sobre *su obra y su técnica.*

Esta actividad estimula la motricidad fina y el desarrollo sensorial

3 +

¿A qué te sabe?
. . . .

A cada uno de los niños, con los ojos vendados, se le hace saborear el alimento que debe reconocer. Con anterioridad le has avisado si se trata de un líquido o un sólido.

Los sabores pueden elegirse de manera homogénea entre elementos semejantes, por ejemplo, frutas, verduras, etc., o entre elementos que no tengan nada que ver el uno con el otro. Es importante no hacer probar sabores fuertes al comienzo, porque ellos impiden el reconocimiento de los sucesivos más débiles.

Evítense en absoluto las bromas pesadas.

● Para variar el juego

Pueden hacerlo únicamente con dulces, y cada uno debe decir no solamente de qué se trata (menta, caramelo), sino también el nombre que lleva en el mercado.

Esta actividad estimula el sentido del gusto

3 +

Tócalo y reconócelo

Venda a los niños y colócale a cada uno un objeto. Deben reconocerlo. Una vez lo hayan hecho, recógelos y se los intercambias.

Los objetos deben seleccionarse, en un principio, entre los de uso más común, aumentando gradualmente la dificultad.

●**Para variar el juego**

¿Quién es?

Los niños con los ojos vendados deben reconocer una persona conocida, con la ayuda de las manos, explorando su cuerpo, su cara y su vestido.

Esta actividad estimula el desarrollo del sentido del tacto

3 +

¿Quién habla?

Colocarás a todos los niños en círculo, y vas indicando por turnos quién debe cerrar los ojos para que identifique la voz del compañero a quien tú escoges de igual forma. Naturalmente, el que habla debe usar un tono y una voz normales. Una vez se hayan reconocido todos, poco a poco pueden ir distorsionando la voz, esto les parecerá muy divertido.

●**Para variar el juego**

Para niños más grandecitos

Voces grabadas

En este caso ha sido preparado un casete grabado con voces conocidas por todos los participantes, quienes tienen la tarea de escribir el nombre de las personas que hablan, a medida que las voces se van oyendo.

Ruidos grabados

Graba en un casete algunos ruidos que se puedan reconocer fácilmente. Con frecuencia existen en el comercio casetes con la grabación de algunos efectos sonoros, si los tienes, utilízalos, pero no hay necesidad de que los compres sólo para esta actividad. El juego se desarrolla igual al anterior.

Esta actividad estimula el desarrollo del sentido de la audición

3 +

¡Splash!
. . . .

Cualquier tipo de juego con agua es un excelente estímulo a la noción de causa-efecto. Para los niños de esta edad resulta compulsivo y se debe a la gran variedad de respuestas que se obtienen como son, por ejemplo, flotar, hundirse, hacer diferentes ruidos.

Los más pequeños se divierten simplemente con el chapoteo y a medida que crecen estarán más interesados en hacer con el agua un millón de cosas, las posibilidades son infinitas.

●Para variar el juego

Jugar con esponjas en el agua

Al utilizar las esponjas en el agua, los niños descubrirán una gran variedad de usos. Escurrirlas, llenarlas, hacerlas flotar como balsas con objetos sobre ellas, moverlas a base de soplidos, serán de gran interés para los pequeños. Podrás colocar recipientes para que los llenen de agua exprimiendo las esponjas.

Derramar y regar

Frascos y vasijas de todos los tamaños son necesarios para este ejercicio, quizás un pequeño embudo.

Una forma de estimular la coordinación ojo - mano es proporcionándoles recipientes de diferentes tamaños.

Gotear o dejar escurrir

A los niños les fascina ver gotear. Un recipiente al que se le haya abierto un orificio en el fondo es perfecto para tal propósito, o sencillamente con un gotero viejo que encuentres.

Trasvasar

Muéstrale a tu niño cómo se pasa el agua de un recipiente a otro. En algunos, sencillamente teniendo mucho pulso, en otros (depende del recipiente), espichando el recipiente.

Espichar botellas

Para ello se utilizan frascos transparentes de champú, de aceite o cualquiera que se deje espichar permitiéndole al niño observar qué sucede en su interior. Haz burbujas, muéstrale cómo se mueve el agua al espicharlos, ladearlos o voltearlos. Déjalos derramar agua y estimúlalos a llenar otro recipiente a través de su pequeño orificio.

Esta actividad estimula el desarrollo sensorial y la creatividad

157

3 +

Gr gr gr, quién soy, gr gr gr
. . . .

Uno de los niños será el león, *el rey de la selva,* y los otros deben elegir cada uno un animal, siempre y cuando emita sonidos. Se escoge un lugar del jardín donde se sentará el león y se tapa los ojos mientras los demás se esconden. Luego ruge como un león, grgrgr, y los otros deben responder con sus propios sonidos. El rey de la selva tiene derecho a dar sólo cinco zancadas en cualquier dirección a partir de su lugar. Después lanza otro rugido, y cuando los animales respondan debe tratar de descubrir a uno de los niños adivinando cuál sonido está haciendo, diciendo por ejemplo, *Pedro está haciendo de lobo y está al lado del cerezo.* Si acierta, Pedro debe sentarse al lado del león; los otros escogen nuevas imitaciones de sonidos de animales y el juego vuelve a empezar.

El último animal reconocido se convierte en el nuevo rey de la selva.

●Para variar el juego

¿Qué canción es y quién soy?

El juego anterior lo puedes variar cambiando los sonidos de animales por tonadas cortas y populares, de esta forma los niños cantan y el *director de orquesta,*

antes león, tiene que adivinar qué está cantando y quién. El resto del juego continúa igual al anterior.

Esta actividad estimula el desarrollo sensorial

3 +

Cómo hacer un megáfono
. . . .

Consigue papeles de varios tamaños y enrolla uno en forma de cono y pégalo con una cinta pegante. Entrégale a los niños los otros papeles y haz que hagan lo mismo siguiendo tu ejemplo.

Hazlos experimentar elaborando el cono más ancho o más cerrado. ¿Con cuál te escuchan más fuerte? De qué forma ves, ¿más cerca o lejos?

●Para variar el juego

Sugiérele a los niños hacer ruidos de animales, de vehículos, aviones, helicópteros, etc.

Si ese domingo hay algún partido, diles que lo lleven y griten con él para animar a su equipo favorito.

Esta actividad estimula el desarrollo de habilidades visuales y auditivas

3 +

Adivina qué hay debajo

Dibuja un paisaje compuesto por varios elementos conocidos por los niños. Muéstraselos muy rápidamente y luego, a cinco de estos, cúbrelos con un pedazo de papel autoadherible.

Dales pistas a los niños para que adivinen qué objeto, persona o animal es el que se encuentra oculto.

●Para variar el juego

Con otro dibujo haz lo mismo, pero relatando una historia, la cual se interrumpe al llegar al dibujo cubierto. El niño deberá completarla al ir adivinando el objeto que se encuentra oculto.

Continúa así hasta que queden descubiertos todos los dibujos.

Esta actividad estimula la memoria visual y la capacidad de deducción

4 +

¿Quién manda aquí?

Todos los niños se sientan en un círculo y uno de ellos se sale de la habitación o se retira a un sitio donde no oiga ni vea lo que se planea. Puedes comenzar eligiendo tú a un niño que será el que guiará al grupo mostrando qué es lo que se debe efectuar. Hacen entrar al niño que estaba afuera y el *guía* comienza realizando diferentes actividades, por ejemplo, aplaudiendo, luego alzando los brazos, después moviendo la cabeza, etc. Los demás lo siguen y el chico que estaba afuera tendrá tres oportunidades para saber quién es el *guía*. Luego sale otro niño y se escoge otro guía, y así sucesivamente.

●Para variar el juego

¿Quién estaba dónde?

Se quedan en el mismo círculo, sacan a un niño y cuando éste vuelva, tiene que saber si se cambiaron de sitio, quiénes y de dónde a dónde.

Esta actividad estimula la capacidad de observación

4 +

Qué será, será...

Utiliza una bolsa que no sea transparente y pon en ella más o menos veinte objetos, algunos semejantes entre sí, como un cepillo de la ropa y un cepillo de pelo, un vaso y un frasco vacío de yogur, y otros muy diferentes como un lápiz, un carro de juguete y una muñeca. Tapa los ojos de los niños que van a participar con un pañuelo. Invita a cada uno a introducir la mano y tocar todos los objetos durante un minuto. Cuando todos hayan palpado los objetos se retiran los pañuelos y cada uno anota los objetos que recuerda.

●Para variar el juego

Pon dentro de una bolsa bien cerrada un objeto, pídele al niño que lo palpe y trate de adivinar lo que hay en su interior. Puedes poner también dentro de la bolsa tres clases de granos (maíz, arveja, lenteja); venda los ojos del jugador, vacía el contenido sobre la mesa y pídele que los separe.

En un pedazo de tela riega, formando manchas, un poco de pintura, otro de mayonesa, un poco de puré y cualquier otro elemento que tenga una textura diferente; tápales los ojos a los niños y pídeles que toquen con la punta de los dedos cada una de las manchas y traten de adivinar de qué se trata. Premia a los que mayores aciertos tengan. Venda los ojos de los niños con pañuelos y pídeles que se desplacen libremente por el lugar, tocando todo lo que encuentren a su paso y nombrándolo en voz alta.

Esta actividad estimula el sentido del tacto (discriminación táctil)

5 +

Seamos naturistas

¿Cuántas hojas diferentes de árboles me puedes señalar?

Aprovechemos los paseos al parque para volver a nuestros hijos unos observadores e investigadores de la naturaleza. Dile: veamos qué tantas hojas diferentes de árboles me puedes señalar; enseñémosle la diferencia en color, textura, tamaño, etc., que hay entre las unas y las otras, al mismo tiempo que le mostramos la diferencia entre el árbol de una hoja y el árbol de la otra hoja.

●Para variar el juego

Adoptemos un árbol

Si siempre van al mismo parque podrás decirle a tu hijo que pueden adoptar un árbol (o sea, tomar la responsabilidad de ese árbol), cuidarlo, quitarle las hojas secas, limpiar sus alrededores, etc. Así, podrás llevarlo en verano y enseñarle cómo el árbol está seco en sus raíces, y después, en invierno, irás con él y le mostrarás cómo sus raíces, su corteza y sus hojas están húmedas. Verás cómo el niño de ahora en adelante no sólo se interesará por ese solo árbol, sino por todos aquellos que se encuentran cerca.

Coleccionemos piedras

En el mismo parque le puedes pedir al niño que te ayude a buscar piedras de diferentes tamaños y colores, las cuales irán guardando en una bolsita, para después sentarse a mirar una por una y ver cuáles son las diferencias que existen entre ellas.

Estimula la observación aumentando su interés por la naturaleza

5 +

Bombardeo

. . . .

Para este juego vamos a necesitar muchas bolas de ping-pong u otro tipo de bolas muy suaves, y como mínimo seis personas. Divide a los jugadores en dos equipos y repárteles las bolas en partes iguales.

Ubicarán una *fortaleza* de la cual uno de los grupos será su defensor, sus integrantes deben sentarse alrededor con su bolsa de bolas. El otro equipo estará formado por los *asaltantes,* quienes deben avanzar hacia la fortaleza desde un extremo del jardín. Los dos bandos comienzan el *bombardeo* lanzando las bolas, tratando de golpear a los enemigos. Cuando un jugador es golpeado por una bola, él y la bola se pasan al bando opuesto y así sucesivamente hasta que gane uno de los equipos, entonces cambian de sitio para iniciar otra batalla.

● Juegos para variar

La toma del castillo

Este juego pueden practicarlo dos o más niños, los padres también pueden participar. Ubicarán el *castillo* en una casa en el árbol, en una casa de muñecas, encima de unos troncos, o donde mejor les parezca.

El rey debe sentarse vendado en el castillo y los otros jugadores son caballeros que tratan de tomarse el castillo aproximándose desde cualquier parte del jardín. Esto deben hacerlo en el mayor silencio posible para que el rey no los oiga, hasta que se apoderen del castillo.

El monarca puede enfrentar hasta tres desafíos. (Un desafío es cuando el rey señala con el dedo hacia donde cree que hay un caballero que se acerca, quitándose la venda rápidamente. Si no señala de manera directa al caballero, debe volver a vendarse y el juego continúa). Si el rey pierde tres desafíos, el caballero que esté más cerca de él se convierte en el nuevo rey.

Si señala correctamente a un caballero, éste debe retirarse hasta el lugar más apartado del jardín y el juego continúa hasta que un invasor se tome el castillo convirtiéndose en rey para empezar de nuevo el juego.

Esta actividad estimula el desarrollo sensitivo (tacto-oído) y el desarrollo social

5 +
Los tonos y los timbres
. . . .

Forma en una esquina del cuarto una cruz con cinta de color. Haz parejas con los niños. Toma una primera pareja y véndale los ojos a uno de ellos, el otro le guiará con la voz hacia la cruz, cuanto más se aleje el jugador ciego del blanco, más aguda será la voz del jugador que guía.

●Para variar el juego

Pide al niño que escuche tonos agudos y graves, elige una palabra sin sentido, por ejemplo TA como palabra código. Pídele al comienzo que emita un TA agudo y luego un TA grave, hazlo hasta que lo pueda discriminar en forma adecuada. Luego puedes hacerlo al azar: dos graves, tres agudos, uno grave, dos agudos, etc. Pídele a cada uno de los niños que invente un ritmo sobre el cual entone onomatopeyas. Por ejemplo, *paran pan pan, pum, pum, pam*. Los demás tendrán que reproducir ese ritmo añadiendo cada uno su propia frase rimada. Así las onomatopeyas se enriquecerán con nuevos sonidos. Ganará el niño capaz de reproducir fielmente el sonido. Dale a los niños diferentes elementos que produzcan sonidos (platillos, ollas, cascabeles), déjalos que jueguen primero libremente. Propónles luego que jueguen haciendo ruido con el instrumento y marcando el compás con los pies, con las manos, con todo el cuerpo.

Esta actividad estimula la discriminación de los sonidos

5 +
La tribu y el silbador
. . . .

Cuando vayas al parque o si tienes posibilidad de jugar en un patio, forma dos grupos con los niños. Cada equipo designará un silbador que emitirá un chiflido característico y bien definido. Los demás jugadores se ubicarán con los ojos vendados en medio del terreno mezclados entre sí. Los chifladores se colocarán en extremos opuestos del patio.

Dada la señal cada chiflador debe agrupar a su tribu orientándola con un sonido que le es propio. La tribu que se reúna primero es la ganadora.

●Para variar el juego

Los jugadores forman un círculo grande. Uno de ellos hace de tigre y se coloca en el centro del círculo. Los integrantes de éste, que son los cazadores, tienen su refugio en un extremo del patio. A la señal, el jugador que está en el centro (tigre) dirá un número. Los cazadores caminan ese número de pasos en dirección al tigre, contando en voz alta, a veces lentamente, a veces en forma rápida. Al completar el número dicho por el tigre, todos corren a su escondite. El tigre en ese momento trata de atrapar a alguno de los jugadores y si lo logra, el atrapado se une a él en el centro del círculo. El juego comienza y gana el último en ser atrapado.

Esta actividad estimula la atención auditiva y la orientación

6 +

Juntemos las frutas
. . . .

Existen en el mercado loterías de asociación, pero puede ser más divertido que tú las construyas con tu hijo. Para ello utiliza dos cartones grandes, dibujando sobre ellos una variedad de frutas. Divide los cartones en cuadros, de manera que en cada uno de estos vaya una de aquellas, como por ejemplo: naranjas, fresas, melones, manzanas, uvas, patillas, peras, etc. Los dibujos deben estar situados en el mismo espacio en ambos cartones. Al mismo tiempo, en un tercer cartón dibujarás las mismas frutas y otras más que no se encuentren en los dos primeros cartones, las cortarás y luego las revolverás en una bolsa de donde las irás sacando una por una, haciendo que tu compañero de juego las coloque sobre su cartón cuando encuentre la pareja de la fruta en él. Cada vez que se presente un acierto felicitarás al ganador.

●Para variar el juego

Reuniendo fotografías

Consíguete dos revistas iguales en las que aparezcan fotografías; recorta las de una revista y pégalas sobre un cartón, las de la otra revista las recortas igualmente, tratando de recortar no sólo las que le aparecen al niño en su cartón, sino también otras diferentes, y las introducirás en una bolsa. Luego las vas sacando una por una hasta que el niño encuentre las parejas de fotografías iguales a las de su cartón.

Esta actividad estimula la capacidad de observación y asociación del niño

6 +

¿Qué hacemos?
. . . .

Haz con un marcador un doble juego de tarjetas con todas las letras del abecedario, dos por cada letra (estas te sirven para realizar otros juegos). Reúne a los niños y forma con ellos dos equipos. Riega las tarjetas en el piso y cuando tú des la señal uno de los grupos debe escribir con ellas una acción, por ejemplo, saltar, reír, caminar, para que el otro grupo la ejecute rápidamente antes que aparezca la otra palabra. Cada grupo tiene derecho a formar tres palabras.

●Para variar el juego

Utiliza las letras para hacer competencias de armar palabras en el menor tiempo posible.

Esta actividad estimula la destreza visual

6 +

Palmadita

Los niños se disponen en rueda, con los brazos extendidos hacia adelante y las palmas de las manos hacia arriba. En el centro del grupo queda un jugador destacado. A la señal de iniciación, el jugador central comienza a desafiar a los otros, tratando de ponerles una tapa de gaseosa en la mano extendida. Cada uno puede defenderse encogiendo rápidamente el brazo, pero debe extenderlo de nuevo apenas pase el peligro. Quien recibe la tapa de gaseosa cambia de lugar con el jugador destacado, quien intenta tocar a los otros.

●Para variar el juego

Puedes hacer este juego, pero con los pies, así: organiza un círculo, los niños deben tener un pie extendido hacia adelante, en el centro se ubica un niño que a la señal debe, al mismo tiempo que dice: *Piso más abajito de donde pisó Colón,* intentar tocar con su zapato el de los otros participantes. Quien sea pisado sale del juego.

Esta actividad estimula las respuestas reflejas

7 +

El banquero

Coloca en círculo a los niños y véndales los ojos. Luego les repartes monedas de diferente cantidad (previamente lavadas). Cada uno debe reconocer con el tacto las monedas que tiene en la mano. Luego, una vez las hayan reconocido, se les cambian, y ahora, con otras diferentes, se les pide que digan la suma total de las nuevas monedas que tienen allí.

●Para variar el juego

Escribe en mi espalda

Cada niño debe reconocer las letras o los números que le escriben con el dedo los otros niños en su espalda.

Esta actividad estimula el desarrollo del sentido del tacto

7 +

Pares e impares

. . . .

Organiza con los niños un círculo y pídeles que se enumeren con números seguidos, empezando por el uno. Los pares pasan al centro para hacer otro círculo.

El círculo de afuera avanza hacia la derecha, y el de adentro hacia la izquierda. El movimiento se realiza al compás de la música.

A una señal tuya, que puede ser al detener la música, los impares girarán a la izquierda y los pares a la derecha. Siempre que repitas la señal, los dos círculos deben cambiar de sentido.

●Para variar el juego

Haz grupos según el color de la ropa, el corte de pelo o de cualquier otra característica.

Cada grupo camina de frente, de lado, hacia atrás, hacia adelante, con pasos cortos, con pasos largos.

Esta actividad estimula la orientación y manejo del espacio

. . . .

ANEXOS

Para tener en cuenta

A. El valor de jugar con agua

El agua fascina a todos los niños. El placer obvio que ellos experimentan en todas las formas del juego con agua tiende a eclipsar el hecho de que esta contribuye en forma significativa al desarrollo y conocimiento del niño.

La concentración, un poder que debe ser estimulado, se desarrolla cuando el niño está completamente absorbido por su juego.

La relajación, aparece con rapidez en las formas serenas de juego con agua. El agua puede tener efecto terapéutico en un niño cansado o turbado. El niño que puede chapotear, empujar, derramar, arrojar o alborotar el agua, de cualquier manera logra un escape emocional.

Se desarrolla *la exploración* y un entendimiento de conceptos de naturaleza científica y matemática.

El juego solidario y social mejora en calidad.

Se experimenta *la textura* y la naturaleza del agua.

La apreciación de la belleza crece a medida que el niño ve las gotitas de agua en las hojas o telarañas y admira un hermoso reflejo o contempla con reverencia el vigoroso golpear del oleaje.

Sin embargo, aun cuando encontramos un sinnúmero de ventajas en el juego con agua, debemos minimizar los problemas que este puede traer con las siguientes recomendaciones:

a. Los niños se van a mojar. Trata de mantenerlos calmados y el agua dentro de las tinas o platones.

b. El piso se pondrá resbaloso y húmedo. Con pedazos viejos de cortina de baño cubre el piso, trata de mantener los niños tranquilos y calmados y el agua nuevamente dentro de las tinas.

c. Los niños tomarán agua. Esto es inevitable, concientízalos y explícales cómo deben utilizar el material adecuadamente.

d. Los niños se mojarán unos a otros echándose agua. Explícales que las vasijas y envases son para llenarlos y *no para mojar a la gente.*

e. No les coloques muchos juguetes, ya que la concentración en lo que están haciendo se dispersa, además que hay que dejar espacio para el agua y para que los niños se puedan mover.

f. Es sumamente importante la supervisión cercana de los adultos ya que en unos cuantos centímetros de agua se puede ahogar un niño.

B. Cómo minimizar la ensuciada cuando se está pintando especialmente con témpera o pegando

a. Protege la ropa de los niños con un delantal o bata, asegúrate de que las mangas estén bien dobladas hacia arriba.

b. Protege el piso con papel periódico, con un pedazo de vinilo o una cortina vieja de baño.

c. Si usas un atril, puedes cubrir los alrededores con papel aluminio, periódico o autoadhesivo; igualmente puedes hacerlo con las patas de la mesa o cualquier base que estés utilizando.

d. Para que los frascos de pintura no se volteen, echa un poco de pintura en recipientes de comida de bebé (frascos de compota). Corta redondeles de esponja del mismo tamaño de la base de los frascos y colócalos allí; la esponja absorberá cualquier gota que caiga reduciendo la ensuciada.

C. Que no sea un lío cuando quieren ser creativos

No debemos impedir que el niño juegue en forma creativa con materiales porque se convierta todo en un lío. A medida que él se acostumbra a manejar diversos materiales en situaciones creativas, el *problema* se reduce. Esto sucede porque:

1. Se hace más selectivo en su elección de materiales (cuando desaparece la novedad, sólo toma lo que necesita).

2. Si ha sido enseñado para arreglar su propio desorden, pronto aprende a reducir el volumen y despliegue de sus materiales a un límite manejable.

3. Con la práctica se hace más confiado y habilidoso en el manejo de sus materiales; por ejemplo, el niño que tenga práctica en verter y manejar líquidos para el juego con agua, rara vez será reprendido por derramar leche en la mesa.

Cómo se pueden organizar

1. Procura que el niño tenga materiales apropiados, por ejemplo, el pegante adecuado a su propósito. Ayúdale a reunir los materiales que necesite.

2. Deja que decida por sí mismo lo que va a hacer y cómo lo hará. Más bien dispónle un lugar apto para que lleve a cabo su tarea, por ejemplo un cuarto donde no moleste, que haga desorden o donde la mesa esté protegida con una carpeta o el piso cubierto de periódicos.

3. Recuerda que debe estar vestido apropiadamente, con ropa vieja o delantal de plástico.

4. Debes estar disponible si pide ayuda o quiere preguntarte algo. Si lo hace, vuelve a dirigírselas para que él pueda descubrir la información por sí mismo, por ejemplo si está construyendo un tren con cajas, *¿Cómo puedo unir este vagón con la locomotora?; tienes cinta pegante, cuerda y pegante, ¿qué puede ser lo mejor para utilizar?*

5. Guarda los materiales en cajas o bandejas, en aparadores o repisas, que exijan orden.

6. Es responsabilidad del niño guardar los materiales cuando ha terminado su actividad, pero recibirá con gran placer la ayuda adulta.

D. Cuando salen solos a jugar al vecindario

Dale al niño un silbato grande, que debe llevar en una cuerda colgada al cuello. Dile que tú estarás mirando regularmente para ver cómo estás, pero que acudirás rápidamente si oyes el silbato.

E. Cómo manejar un grupo de niños que van a jugar a tu casa o a reunirse para su nuevo club

La primera vez que un grupo de niños se reúne en tu casa, dales jugo y galletas y mientras comen, aclárales algunas reglas básicas: no pelear, respetar los turnos para cualquier cosa, tratar con cuidado los juguetes y ponerlos en su puesto cuando terminen de jugar.

Diles dónde se encuentra el baño, en dónde estarás tú y que pidan el teléfono antes de usarlo. Coméntales que no estarás vigilándolos en todo momento, pero que dejarás una campana para que los más pequeños la usen por si necesitan tu ayuda. Si después de un rato te das cuenta de que el juego ha caído en el desorden, haz sentar a los niños y nárrales un cuento. Al terminar diles que escojan un *mediador,* antes de volver a jugar. Explícales que esta persona estará encargada de resolver quejas y problemas causados por mal comportamiento. Hay que cambiar de mediador cada media hora. Haz elogios cuando el juego se desenvuelva bien. Averíguate a qué hora quedaron de volver a casa los niños. Avísales veinte minutos antes que sólo les quedan diez minutos de juego, a los que viven lejos que llamen para que vengan por ellos. Al final de este plazo infórmales que tienen cinco minutos para recoger los juguetes y otros cinco para regresar a casa.

F. Qué hacer cuando los niños comienzan a decir expresiones desagradables o malas palabras

Habla con los niños sobre aquellas expresiones inaceptables que se han vuelto tan comunes en casa. Explícales que esas frases tales como: *¿Quién crees que eres tú?; No se me da la gana; Cállate; Quisiera que nunca hubieras nacido; Odio esta comida; Nunca me dejas hacer nada; A mí qué me importa; No lo hago y qué,* perjudican las relaciones familiares y no son dignas de un niño como él.

Coméntale, por ejemplo, que también las maldiciones y las malas palabras demuestran un vocabulario reducido. No reacciones exageradamente cuando el niño use este lenguaje, pero tampoco lo pases por alto. Ayúdalo a decidirse a no usarlas en lugar de reprimirse cuando tú estés presente. En un momento apropiado explícale al niño, con palabras sencillas, el significado de las expresiones soeces.

Dile que hay otras palabras mejores para describir cada una de estas cosas y que explotar diciendo obscenidades cuando uno está frustrado o desilusionado no ayuda en nada, pero sí deteriora la imagen que otros tienen de nosotros. Hazle entender al niño que estas palabras y las blasfemias son crueles, crudas y sin sentido. Sugiérele expresiones para reemplazar las malas palabras: *caray, caramba, qué barbaridad,* etc., y enséñale más bien a decir frases agradables como *bien hecho, qué buena idea, eres el mejor, felicitaciones.* Es de esperar que ustedes como padres den el principal ejemplo. Coloca en la cocina un frasco con una ranura en la tapa para echar multas impuestas a los "obscenos o blasfemos", esto ayudará a acabar la mala costumbre. La multa para adultos y adolescentes debe ser el doble que para los niños.

G. Actividades que no se recomiendan para antes de los dos años y medio

a. Pegado: en un niño pequeño la actividad de pegar no tiene un efecto muy entretenido ni satisfactorio. Todavía no entienden cuál es el objetivo, debido a que por un lado, es un proceso largo para ellos, recortar los papelitos, hacer salir la goma, ponerla en los papeles, luego estos colocarlos en una cartulina. "Si el objeto es que el papel se quede allí, yo lo puedo levantar inmediatamente y hasta ponerlo en otro sitio"; está muy pequeño para esperar y entender que esos papeles que recorta y unta con goma van a quedar más adelante ahí "para siempre". Es una actividad compleja que demanda una mayor madurez de pensamiento y capacidad de espera.

b. Usar escarcha: esta no se recomienda porque resulta peligrosa, pues al estar sus manos con escarcha y luego refregarse los ojos, pueden rallarse la cornea.

c. Recortar: su motricidad fina y coordinación todavía no están del todo desarrolladas como para utilizar efectivamente unas tijeras. Rasgar ayudará mucho más y les llamará más la atención.

Transformando y elaborando nosotros mismos los materiales

Muñecos hechos con medias

Los muñecos confeccionados con medias son muy divertidos y muy simples, desarrollan la habilidad manipulativa de los niños pequeños.

Al niño le encantará la variedad de expresiones que podrá lograr en su muñeco cuando se mueva dentro de la media.

Todo lo que necesita es una vieja media de papá con dos grandes botones cosidos para hacer de ojos. Sin embargo, se pueden crear diferentes personajes con algunos agregados simples.

Accesorios:

Lengua: fieltro o paño rojo.

Ojos: botones, conchas, fieltro.

Bigotes: pajas de escoba, limpiadores de pipa, lanas.

Pelo: lana, algodón, esponjilla.

Orejas: recoge y asegura trozos de la media a cada lado con un caucho o elástico, o cuelga otra media sobre la cabeza.

Vestido: recoger una pequeña falda (pollera) con elástico y colocarla sobre la muñeca.

Adornos: adornos de cortina, sobrantes y extremos de la tela, hoja de papel aluminio, collar, sombrero pequeño hecho con cartulina.

Personajes:

Animales, ranas, anguilas, gente, dragones.

Haz un caballo de juguete usando un muñeco de media para la cabeza; o también puedes usar la cabeza de un muñeco roto o de un juguete blando y unir a su cuello un pequeño vestido o ropa que esconderá la mano del niño.

Cómo hacer crayolas gigantes

Esta actividad requiere la presencia del adulto ya que el trabajo con cera es peligroso.

1. Quítale el papel a varias crayolas viejas y rotas.

2. Sepáralas por color.

3. Derrítelas al baño María (en una pequeña sartén vieja, que se encuentra a la vez en una grande con agua).

4. Vierte la cera derretida en unos moldes viejos, en los cuales has colocado papel parafinado para que no se peguen.

5. Deja que se enfríen y se endurezcan.

Cómo sus garabatos pueden servir de decoración

Pega una hoja grande de papel periódico no impreso encima de una mesa y dile a los niños que esa va a ser por una semana o más su mesa para dibujar. Cuando el papel se llena, simplemente cámbialo o coloca una hoja limpia.

Guarda esas hojas y con ellas podrás forrar cajas, cajones, cubrir estanterías, etc.; puedes usarlas también como papel de envolver, para recortarlo haciendo figuras de letras o números y colocándolas en la pared su cuarto se verá más bonito.

Adecuar un atril como lugar de garabatos

Pega o agarra a unos clips gigantes varias hojas grandes de papel periódico y un pliego de cartulina, amarra con una pita varias crayolas de diferentes colores; este se convertirá en su lugar de garabateo.

En cambio de pinceles

1. Una pequeña esponja con un gancho de colgar ropa.

2. Sólo la esponja.

3. Copitos de algodón.

4. Plumas.

5. Cepillos de dientes viejos.

6. Peinillas.

Pinturas hechas en casa con los dedos

Estas son algunas recetas de pinturas que son divertidísimas para jugar con los dedos. Añádeles colorantes para comida o témperas para darles color.

1. Almidón de maíz, agua y glicerina.

Mezcla 1/2 taza de almidón de maíz con 1/4 de taza de agua fría.

Gradualmente añádele 2 tazas de agua caliente, mientras vas revolviendo para prevenir que se hagan grumos.

Cocina esto a baja temperatura hasta que empiece a hervir. Quítalo del calor y añádele otra 1/2 taza de agua fría y 1 cucharada de glicerina, esta hace que se vuelva suave, resbaladiza y que no se seque tan rápido la pintura.

2. Almidón de maíz y gelatina sin sabor.

Mezcla 1/2 taza de almidón con 3/4 de taza de agua fría en una sartén hasta que quede una mezcla suave; añádele 1 sobre de gelatina sin sabor disuelta en 1/4 de taza de agua, echa 2 tazas de agua hirviendo en la sartén con la mezcla de almidón de maíz y revuelve. Cocina a fuego medio removiendo constantemente hasta que hierva y esté clara. Retira del fuego.

3. Almidón, jabón y talcos para bebé

Simplemente mezcla el almidón líquido (el que se prepara para almidonar ropa), el detergente en escamas o en polvo, y polvos para bebé hasta lograr una consistencia suave. Todas estas recetas pueden variarse. Juega con ellas para lograr otras mezclas. Ensaya adicionándole texturas, por ejemplo, café granulado, aserrín, cereal o vaselina. Puedes añadir fragancias.

. . . .

Tabla de contenido

. . . .

Bibliografía

FURTH, H.G.; WACHS, H. *La teoría de Piaget en la práctica.* Editorial Kapelusz. 1978.

KRUEGER, W. *990 actividades para realizar con sus hijos.* Editorial Norma, 1989.

LOWENFELD, VICTOR; LAMBERT BRITTAIN, W. *Desarrollo de la capacidad creadora.* Editorial Kapelusz, 1980.

MILIER, K. *Things to do with todders and twos.* Telshare Publishing, 1992.

MONTES, M. *Elementos básicos sobre el juego.* Ed. Nueva Era, 1992.

MUSSEN/CONGER/KAGAN. *Desarrollo de la personalidad en el niño.* Editorial Trillas, 1978.

OPPENHEIM, J. *Los juegos infantiles.* Círculo de lectores, 1984.

SANDRA, F. *Volvamos a jugar.* Ed. Aula Alegre. Magisterio.

SILBERG. J. *Games to play with toddlers,* 1993.

The gyant encyclopedia of theme activities for children. For children 2 to 5. Gryphon House Inc., 1993.

VIVES, P. *Juegos de ingenio.* Ediciones Martínez—Roca. 1987.

. . . .

178